LANG LEVE DE COMPUTERHEKS!

Francine Oomen

Lang leve de computerheks!

Met tekeningen van Philip Hopman

Van Holkema & Warendorf

Andere boeken van Francine Oomen over de computerheks:
De computerheks
Computerheks in gevaar
De computerheks ziet ze vliegen (omnibus)
Computerheks in de sneeuw

Vierde druk 2003

AVI-niveau: 7
ISBN 90 269 9187 8
NUR 282
© 1999 Uitgeverij Van Holkema & Warendorf,
Unieboek BV, Postbus 97, 3990 DB Houten
www.unieboek.nl
www.francineoomen.nl

Tekst: Francine Oomen
Illustraties: Philip Hopman
Vormgeving: Ton Ellemers

Pep-up poeder

'Karel, kan je nog twee kopjes koffie brengen? En doe in elk kopje maar een flinke schep pep-up poeder alsjeblieft. Deze dames zijn er vanmiddag met hun hoofdjes ab-so-luut niet bij!'

Karel, die net met een vies gezicht de kattenbak verschoont, staat op en veegt zijn handen af aan zijn schort.

'Waar staat het pep-up poeder?'

'Nu woon je hier al bijna een half jaar. Weet je dat nou nog niet? Naast het zelfrijzend bakmeel natuurlijk,' antwoordt Ursula geïrriteerd.

Karel sloft traag in de richting van de keuken.

Ursula wappert met haar handen voor de gezichten van Lot en Trix. 'Hallo daar! Is er iemand thuis?'

Trix zit tegenover haar aan tafel in haar rolstoel te knikkebollen en Lot staart met een hand onder haar kin naar buiten.

Ze is met haar gedachten duidelijk mijlenver en zeker niet bij de woensdagmiddagse toverles.

Trix' mond zakt open. Ze snurkt een beetje en haar brilletje hangt scheef.

Ursula zucht diep. Moet je mij nou zien, denkt ze. Zo woon ik heel prettig alleen met mijn kat en mijn computer en hup, een avontuurtje of twee verder heb ik m'n huis vol. Ze telt op haar vingers: Lot, slimme meid, goeie leerling, met alle eigenschappen in zich om later een driesterrenheks te worden, maar de laatste tijd: niks mee te beginnen. Trix, beetje oud en krakkemikkig, beetje mopperig, maar verder heel gezellig. En dan Karel... Hij heeft ons gered uit de handen van Herman Schmack en omdat z'n winkel weg was, is-ie hier komen wonen, maar of dat nou zo'n goed idee was?

Vanuit de keuken klinkt plotseling een luide klap en het geluid van brekend glas.

Trix schiet overeind, kijkt wazig in het rond en zakt dan weer opzij. Lot knippert alleen met haar ogen. Ursula kreunt. De deur vliegt open en Karel, gehuld in een witte wolk van poeder, steekt zijn hoofd de kamer in.

'Sorry, duizendmaal sorry, Ur. Dat was...'

'Het zelfrijzend bakmeel...' vult Ursula aan. Haar gezicht staat op zeven dagen onweer.

'Nou, ja, dat wil zeggen, ik denk het wel, hahatsjie! Ik-ik, ik kon het kaartje erop niet goed lezen, Ur. Ik zal het overscheppen in een andere pot.' Karel heeft een rood hoofd en kijkt erg benauwd.

'Ik heet URSULA, druiloor! Schei toch eens uit met die vlotte babbel en schiet op met die koffie!'

Ursula ademt een paar keer diep in en uit. Bewaar je geduld, Ursulaatje, blijf kalm, hij bedoelt het goed. Hij kan er niks aan doen dat-ie zo onhandig en vooral o-lie-dom is...

Karel stuift binnen. De kopjes op het blad glijden heen en weer en de koffie spettert in het rond. Haaatsjie! niest hij.

'Wauwie-pauwie, ik voel me opeens te gek! Wat een energie, zeg! Ik voel me te vet wreed! Hier is de koffie! Een koppie voor mamsie! Hé, moeke, word eens wakker!' Karel schudt Trix onzacht door elkaar.

'Koffie, mam, met gratis voetbad! Lottepetotje, ahoi! Koppie erbij houden, wijfie, anders krijg je nooit je heksendiploma!'

Lot werpt hem een woedende blik toe.

'Zo, dat was de koffie!' Karel gooit baldadig het lege dienblad over zijn schouder. Het scheert rakelings langs Miranda, die met een schelle schreeuw de gordijnen inschiet. 'Sorrieporrie Miepie!' roept Karel olijk.

Ursula springt zo wild op dat haar stoel omvalt. 'Hè, wat zullen we nou hebben?'

Karel schudt zijn vette kuif naar achteren en rukt de stofzuiger uit de

kast. 'Het is zo weer in orde Ur, maak je niet dik, ik ruim de rommel heus wel op!' En weg is Karel.

Ursula zet haar stoel overeind en gaat moedeloos weer zitten.
'Alle paddengrutten nog an toe, dat was dus niet het zelfrijzend bakmeel, maar het pep-up poeder. Wie weet hoeveel hij heeft ingeademd. Zit ik ook nog met een te gek opgepepte Karel!'
'Getverderrie, wat een smerige koffie. Wat zit hierin?' vraagt Trix. Met bibberende handen zet ze het kopje koffie terug op tafel. 'Ik heb al zo vaak gezegd dat ik te oud ben om die vieze heksenbrouwseltjes te leren drinken.'

Ursula klapt met een woest gezicht haar toverboek dicht.

'En nu heb ik er genoeg van! De toverles is afgelopen voor vandaag. Zal ik me daar een beetje druk maken voor twee van die ongeïnteresseerde types. Ik heb wel wat beters te doen! Ik ga verder met mijn kookboek!'

Met haar toverboek onder haar arm geklemd beent Ursula woedend de kamer uit.

Trix en Lot kijken elkaar aan.

'Die heeft een slecht humeur, zeg! Hebben we soms iets fout gedaan?' vraagt Lot verbaasd.

De keukendeur zwaait open en Ursula duwt Karel de woonkamer binnen.

'Uit mijn keuken, jij opgepept misbaksel! Ik ruim de troep hier zelf wel op!'

'Wat je wilt, Ur! Wat je wilt! Wauwie-zauwie!! Peace, man! Ongelukkie kan iedereen gebeuren!' roept Karel met een brede grijns. Hij klapt in zijn handen en geeft Lot een duw tegen haar schouder. 'Wat jij meid? Ha-aatsjoe! Zullen we een potje voetballen? Mijn kuitspieren jeuken!' Karel maakt een paar schijnbewegingen en dribbelt om de tafel heen. Dan pakt hij zijn moeders rolstoel en kiept haar naar achteren. 'Of heb jij zin om een balletje met me te trappen, mamsie?'

'Wat mankeert jou nou?' vraagt Trix streng. 'Zet me onmiddellijk recht, jongen! Wat doe je opgefokt, voel je je wel goed? Je hebt nog nooit van je leven tegen een bal aangeschopt!'

'Halve zool,' zegt Lot minachtend tegen Karel. 'Geef je op bij een voetbalclub als je zo nodig moet voetballen. Je denkt toch zeker niet dat ik dom achter een bal aan ga hollen?'

Ze staat op en loopt naar de keuken.

'Ursula,' roept ze met een lief stemmetje. 'Zal ik boodschappen voor je doen?'

Verliefd...

Lot strijkt haar jurk glad en friemelt aan haar blonde haar. Ze tuurt naar de groentewinkel aan de overkant van de weg. Door de spiegeling van de etalageruit kan ze niet veel onderscheiden. Zou hij er zijn, of niet?

Lot haalt bibberig adem en besluit het erop te wagen. Ze klemt de boodschappentas tegen zich aan en steekt de straat over.

TOETTOET! Lot kan nog maar net voor een auto opzij springen.

Ze stapt de winkel binnen.

'Zo meisie, dat was op het nippertje, zeg. Je moet uitkijken, hoor, als je oversteekt. Was je aan het dromen?' vraagt de groenteboer.

Lot haalt haar schouders op en voelt haar gezicht rood worden. Stik! Hij is er niet!

Ze graait in haar boodschappentas. 'O, ik ben mijn boodschappenlijstje vergeten! Ik kom straks weer terug. Dahag!'

Ze rent de winkel uit.

Hijgend gaat ze een eindje verderop op een stoepje zitten.

Ze schaamt zich dood. Gisteren was ze ook al twee keer in de winkel. Telkens voor een appel. Alleen maar om een glimp van 'hem' op te vangen. Wat moeten die mensen wel van haar denken?

Lot springt overeind. Ze ziet een jongen de winkel binnenlopen. Dat is 'm!

Lot telt tot tien. En dan tot twintig. En dan voor de zekerheid nog een keer tot dertig. Daarna spurt ze op de winkel af.

De jongen staat met de schooltas over zijn schouder tegen zijn vader te praten. Lot vertraagt haar pas. Wat is-ie knap! Zo donker en groot. Nog knapper dan gisteren. En als-ie lacht...

'Dag meisie, ben je er weer? Vertel het eens, wat mag het zijn?'

De groenteboer en zijn zoon kijken haar allebei aan.

'Uuuh, ja... boodschappen...' Lot wil het briefje, dat al die tijd natuurlijk gewoon in haar tas zat, te voorschijn halen. Maar er is helemaal geen tas! Ze heeft hem naast het stoepje laten staan! Met de portemonnee erin!

Haar gezicht heeft nu de kleur van de tomaten die op de toonbank liggen.

'Oh, uhhh, tas v-vergeten... b-ben zo terug,' stottert ze.

Ze holt weer naar buiten.

De groenteboer grinnikt. 'Leuk meisie, maar erg vergeetachtig! Vooruit, jongeman! Naar boven, huiswerk maken!'

Als Lot even later met tas en portemonnee terugkomt, staan er drie andere mensen in de winkel. De jongen is verdwenen.

Ze trekt een lelijk gezicht. Wat een ongelofelijke oelewapper ben ik toch, denkt ze. En ik kan onmogelijk vandaag nog een keer komen, dat valt veel te veel op! Stom, stom, stom!

Er komen nog meer mensen de winkel binnen. De vader van de jongen doet een deur achter hem open en roept naar boven: 'Hans, vraag je moeder eens of ze komt helpen!'

Lot zucht diep. Hij heet Hans, denkt ze. Hans, wat een prachtige naam. Nu weet ik eindelijk hoe hij heet. Ben ik toch niet voor niks gekomen.

Ursula kijkt in de boodschappentas. 'Hè? Waar zijn de boodschappen nou?'

Lot zit op een keukenkruk en propt haar mond vol met salamanderstaartkoekjes. 'Boodschappen?' vraagt ze met volle mond.

'Ja, boodschappen! Wat dacht je dan, treinkaartjes, of een olifant uit de dierentuin?' Ursula keert de tas om. 'Er zit niks meer of minder in dan toen je wegging!'

'Sorry, vergeten...' Lot springt van de kruk en loopt de tuin in.

'Vergeten? Vergeten?' roept Ursula haar na. 'Je gaat boodschappen doen en dan vergeet je niet één ding, maar alles? Wat heb jij toch, Lot? Hé, Lot, ga je nou even terug?'

Maar Lot is achter in de tuin verdwenen en hoort het al niet meer.

'Dat Trix zo nu en dan wat vergeet, maar dat kind is pas elf...' moppert Ursula bij zichzelf. 'Kan ik zeker zelf gaan. En net nu de hazenstaartjes in de oven staan te sudderen.' Ursula gaat voor de computer zitten, die op de keukentafel staat.

'Wat een apart recept is dit. Van heks Petroesjka uit Roemenië. Zeker een plaatselijke specialiteit... Hazenstaartjespuree, gekruide geitentenen en venkelsoufflé overgoten met een pittige vliegensaus. Kan best lekker zijn. Maar ik heb er dus wel venkel en aardappelen voor nodig. En hoe kom ik aan zoveel vliegen? Het wordt wel heel bijzonder, dat Inter-heksen-netkookboek van mij. Met heksenrecepten van over de hele wereld. Het nadeel is wel dat ik alles moet uitproberen, want er moet natuurlijk geen lariekoek in staan.'

Ursula kijkt bedenkelijk en knijpt in haar heupen. 'Da's veel werk en niet zo goed voor mijn volslanke lijn.'

Ze pakt de boodschappentas en loopt naar het schuurtje. 'Weet je wat, ik neem vandaag maar eens de fiets in plaats van mijn turbostofzuiger. Dat is goed voor de conditie. Staan de mensen ook niet raar te kijken als ik met die stofzuiger in de winkel sta...'

Trix kijkt Ursula hoofdschuddend na. 'Moet je dat nou eens zien, als een fit kippetje gaat ze daar op de fiets. Terwijl ze al minstens twee keer zo oud is als ik... Het is toch niet eerlijk.'

Ze breit met trillende handen verder aan de felgekleurde sjaal op haar schoot. 'Ik zou liever leuke roze babysokjes breien... Bijna negentig en nog niet eens een kleinkind!' moppert ze. 'Ik had al overgrootmoeder kunnen zijn, als die Karel tenminste... Maar hij heeft zelfs nog nooit een vriendinnetje gehad. Te verlegen zegt-ie. En niet bijzonder slim. Maar daar kan hij niks aan doen, natuurlijk. Dat heeft-ie van z'n vader. Sinds hij zich een keer in een vieze, stinkende murf heeft omgetoverd, zijn al zijn kansen verkeken, Ursula heeft hem dan wel terug kunnen toveren, maar het luchtje is er nooit meer afgegaan. En wie wil er nou een man die naar murf ruikt?'

'Mamsie, mamsie, moet je nou eens horen!'

Karel komt opgewonden de kamer binnengestormd. Hij heeft voetbalkleren aan en ziet rood van opwinding. Hij dribbelt drie rondjes rond de tafel en doet alsof hij een kopstoot geeft tegen een bal. Dan ploft hij hijgend op de bank neer.

'Je raadt het nooit, mamsie, ik mag morgen een wedstrijd meespelen, tegen een heel bekende club! Rhoda WC of zoiets. Ik heb een paar balletjes getrapt en ze vonden me knettergoed! En als ik bij de eerste wedstrijd een doelpunt maak, krijg ik een contract en een hoop duiten!' Karel springt overeind en ijsbeert opgewonden door de kamer. 'Geld, veel geld! Dan ga ik een sportauto kopen, zo'n kleine rooie! En dan ga ik piepend optrekken voor de stoplichten, zodat iedereen naar me kijkt! Dan liggen de vrouwen zo voor het oprapen. En dan hoef ik niet meer bij m'n oude moeder en d'r heksenvriendin te wonen, maar koop ik een mooie villa voor mezelf...' Hij geeft zijn verbaasde moeder een smakzoen op haar wang. 'Ik ga het maken, mamsie, ik word prof! Rijk en beroemd! Wauwiezauwie! Eindelijk zal ik niemands slaafje meer zijn. Nee, Karel wordt Iemand. Iemand die bewonderd en verafgood wordt. Karel wordt een voetbalheld, jippie!'

'Jongen, jongen, doe nou eens rustig. Je bent veel te opgewonden. Dat komt allemaal door dat pep-up poeder. Ga nou even een dutje doen, of neem een kopje warme melk, dan ben je zo weer de oude!'

'Maar mamsie, begrijp dat dan toch... Ik wil niet meer die stomme, suffe Karel zijn! Dat pep-up poeder is fantastisch...'

Karel krijgt opeens een sluwe blik in zijn ogen en kijkt naar de keukendeur.

Trix schudt met haar wijsvinger. 'Karel... ik ken je... Dat zou ik maar uit mijn hoofd laten; je blijft van dat poeder af! Dat is een drug en drugs zijn heel ongezond!'

Karel trekt een onschuldig gezicht. 'Ik, poeder? Ach nee, mam! Kom, ik ga een beetje trainen op het veldje.'

13

Alles mislukt

Karel zit in de kleedkamer. Hij kijkt van onder zijn vetkuif jaloers naar de gespierde voetballers om hem heen. Dan kijkt hij naar zijn eigen benen. Dunne witte melkflessen zijn het. Hij heeft het gevoel dat de voetballers een beetje raar naar hem kijken. Karel voelt zich allang niet zo wauwie-zauwie meer als eergisteren. Maar ze zullen nog raar opkijken straks, als hij zijn zevende doelpunt erin knalt. Als hij nou maar kan onthouden in welk doel hij moet schieten... Karel grijnst en haalt uit zijn sporttas een thermoskan te voorschijn. Hij schudt er flink mee, en schenkt een bekertje vol.
'Hé, joh! Wat heb je daar, man? Anabole steroïden? Kan je best gebruiken, zo te zien!' Luid gelach in de kleedkamer.
Karel knarst op zijn tanden. 'Kopje thee, gewoon een kopje thee met melk. En bemoei je met je eigen zaken, man.'
Zenuwachtig slurpt Karel zijn beker leeg. Zo, nu kan hem niks meer gebeuren. Hij schroeft de dop op de thermosfles, dribbelt een paar passen, haalt stoer zijn handen door zijn glimmende haar en roept: 'Kom op, kerels, we hakken ze in mootjes!'

KLAP!
'Au! Ursula, ben je nou helemaal gek geworden?'
Trix wrijft over haar hoofd en tuurt met haar bijziende oogjes woedend naar Ursula. Ursula kruipt op handen en knieën achter de rolstoel van Trix rond. In haar rechterhand heeft ze een vliegenmepper.
'Hebbes! Nummertje vijf!' roept ze triomfantelijk en ze stopt de vlieg in een jampotje.
'Wil je ze niet meer op mijn hoofd doodmeppen!' zegt Trix vinnig.
'Ik kan er op mijn leeftijd wel een hartstilstand van krijgen, hoor!'

'Sorry, Trix, maar ik moet al mijn kansen grijpen. Ik heb voor het recept waar ik nu mee bezig ben een ons vliegen nodig. Dat zijn er veel! Weet je wel hoeveel een vlieg weegt?'

'Nee, en dat hoef ik niet te weten ook!' zegt Trix nukkig. 'Getverdemme, wat ben jij in de keuken aan het brouwen? Waar heb je die vliegen precies voor nodig?'

'Een subliem recept, uit Roemenië,' zegt Ursula, terwijl ze spiedend in het rond kijkt naar een volgend slachtoffer. 'Je mag het proeven als het klaar is.'

'Nou, nee, dank je lekker. Zeg Ursula, ik heb een idee. Waarom hang je niet wat van die vliegenplakstrips op? Dan heb je zo je ons vliegen

bij elkaar en dan kan ik tenminste rustig mijn dutje doen.'
Ursula smijt de vliegenmepper aan de kant en klapt in haar handen. 'Trix, je bent een genie! Geweldig idee! Ik heb ergens nog wel een pakje van die dingen liggen.'

Even later stormt Karel de kamer binnen, recht met zijn hoofd tegen een vliegenplakker aan. Woedend rukt hij de strip van het plafond. Hij probeert hem op de grond te gooien, maar het ding blijft stevig aan zijn vingers vastzitten. Karel begint luid te vloeken. Hij zit onder de modder en de schrammen. Als hij de strip eindelijk los heeft zwiept hij zijn sporttas in een hoek. Dan trekt hij zijn voetbalshirt uit en gooit dat zo hard als hij kan erachteraan. Tenslotte laat hij zich languit op de bank vallen en begint te huilen.
Trix, die alles met grote ogen heeft aangezien, rijdt met haar rolstoel naar hem toe. 'Kareltje, kind, wat is er aan de hand? Ben je nu al thuis? De wedstrijd is toch nog lang niet afgelopen?'
'Ik ben eruitgestuurd, mamsie! Al na drie minuten! En ze hebben me laten struikelen en ze hebben me ook geschopt! Boehoehoe! Het heeft niet gewerkt...'
'Wat heeft niet gewerkt?'
Karel houdt even op met huilen.
'Mijn beenspierballen... wèèèèh! Geen rode sportauto, geen geld, geen mooi meisie...'
'Je beenspierballen... Jaja, jongen. Ik snap het al.' Trix klopt hem troostend op zijn rug. 'Jongen, ik had je toch gezegd dat je niet moest gaan voetballen, dat is toch niks voor jou. Blijf jij nou maar gezellig bij je oude moedertje.'
'Maar wat is dan wél iets voor mij?' roept Karel wanhopig. 'Ik wil rijk worden en beroemd...'
Op dat moment rent Lot binnen. Ze gooit haar schooltas ook in een hoek en ploft snikkend op een stoel neer.
Karel houdt van verbazing even op met huilen, kijkt naar haar en

begint dan nog harder te brullen.

Trix rolt gauw naar Lot toe.

'Kindje, kindje, wat is er nou? Heb je je pijn gedaan?'

'Ja, hier!' roept Lot en ze wijst naar haar borst. 'Mijn hart, mijn hart is gebroken! Boehoehoe! Hij wil geen verkering. Hij zegt dat ik nog veel te jong ben en dat ik maar moet gaan touwtjesprihingen, of zoiehiets!'

Ursula komt uit de keuken geheld. Ze veegt haar handen af aan haar schort. 'Wat is hier aan de hand? Wat een herrie, het lijkt wel of er een stal vol varkens gekeeld wordt. Lot, Karel? Wat hebben jullie?'

Trix trekt Ursula mee de gang op. 'Lot is voor het eerst verliefd, maar ze is afgewezen. En Karel heeft voor de wedstrijd zelfrijzend bakmeel in zijn thee gedaan in plaats van pep-up poeder.' Trix grijnst. 'Ik had in allebei de potten bakmeel gedaan, natuurlijk. Ik kan niet toestaan dat mijn jongen aan de drugs gaat, en ook niet dat hij in een gevaarlijke rode sportauto rond gaat scheuren. En mooie vrouwen zijn niet te vertrouwen...'

Ursula grinnikt en aait Miranda die om haar benen heen draait.

'Eigen schuld, dikke bult voor Karel. Maar kunnen we niks voor Lot doen?'

Trix schudt haar hoofd. 'Het gaat wel over. Tijd heelt alle wonden. 't Is maar kalverliefde.'

'Nou, dat is anders wel de ergste soort, hoor,' antwoordt Ursula. 'Kalverliefde kan erg hardnekkig zijn.'

Ze loopt de kamer weer binnen, negeert Karel die nog steeds op de bank ligt te hikken en pakt Lot troostend vast.

'Kom op, meisie. Jij krijgt een lekker kopje thee van mij, met een kattenkeutelkoekje, daar ben je dol op. En vertel me dan maar eens hoe die jongen heet...'

Te oud – te jong

Trix zit in haar rolstoel voor het raam en bladert hoofdschuddend door een tijdschrift. 'Moet je dit nou zien, nergens een rimpeltje te bespeuren. Geen vouwtje, geen pukkeltje, geen plooitje. Zouden ze van plastic zijn? En wat een figuurtjes. Die kinderen ontbijten vast niet fatsoenlijk. Nergens een grijs hoofd te zien. Bejaarden doen niet meer mee.'

Ursula loopt de kamer binnen, met vreemde kookluchtjes in haar kielzog. Ze maakt een ronde langs de vliegenstrips. 'Hier zitten er minstens twintig op... en hier nog meer. En moet je deze eens zien! Ik denk dat het al bijna een ons bij elkaar is. Kan ik eindelijk m'n recept afmaken. Ik ben zo benieuwd hoe het smaakt!'

Trix kijkt op van haar tijdschrift. 'Ursula, kan je niet een verjongingsmiddeltje voor me maken? Ik baal ervan om bejaard in een rolstoel te zitten.'

'Verjongingsmiddel? Geen denken aan, Trix. Je kent toch de eerste wet van het Veilig-Heksen-Verbond: niet rommelen met de natuurwetten. Als we dat gaan doen raakt de hele boel in de war. En dat is niet de bedoeling. O, Trix kijk deze eens, hij zit proppievol. Mmm... lekkere malse vliegjes, jullie gaan straks de pan in!' Ursula wrijft verheugd in haar handen en loopt de keuken weer in.

Trix kijkt sip naar buiten, waar Lot juist aangeslenterd komt. Ze tikt op het raam. Lot loopt met slepende voeten naar binnen. Haar schouders hangen omlaag en ze kijkt erg chagrijnig.

'Hé Lot, hoe is het nou?'

'Pfff... beroerd, dat zie je toch wel?'

'Ja, je ziet er niet erg opgewekt uit. Ben je nog bij die jongen langs geweest?'

Lot ploft zwaar neer op de bank. Met een boos gebaar veegt ze haar blonde pieken uit haar gezicht.

'Pfff, wel vier keer vandaag. Hij was zijn vader in de winkel aan het helpen. Maar hij deed net alsof hij me niet zag. Het komt vast daardoor.' Lot wijst naar haar T-shirt. 'Het is niet eerlijk. Sommige kinderen in mijn klas hebben zelfs al een beha, maar ik heb nog helemaal niks. Ik lijk wel een kind van acht. Volgens mij krijg ik ze nooit. Ik denk dat ik een groeistoornis heb. Hoe oud was jij toen je borsten kreeg, Trix?'

Trix zet haar bril recht en staart in de verte. 'Wat een vraag, Lot. Tsjonge, dat is eeuwen geleden. Maar ik kan het me nog goed herinneren. Ik was elf, net zoals jij nu. Alle jongens floten naar me, want ik was een knap meisje, hoor.'

'Zie je nou wel, ik ben niet normaal! Ik ben een lelijk, plat dubbeltje! Boehoehoe!' Lot barst in huilen uit.

'Ach nee, Lot, dat ben je helemaal niet! Hè, ik flap er ook maar van alles uit!' Trix probeert koortsachtig iets te bedenken om Lot op te vrolijken. Ze klopt haar onhandig op haar rug. Lot duwt haar van zich af en huilt nog harder.

'Hé Lot, Lotje, luister eens... ik heb een idee.'

Lot verbergt haar gezicht in een kussen van de bank en schudt haar hoofd. 'Laat me nou maar!' roept ze met verstikte stem.

'Lot, het is echt een goed idee. Luister nou even. Ik weet een oplossing voor jouw probleem én voor mijn probleem. We gebruiken gewoon toverkracht. We zijn toch niet voor niks heksenleerlingen?'

Lot komt overeind en kijkt Trix met betraande ogen vragend aan. 'Hoezo, toverkracht?'

Trix kijkt naar de keukendeur en buigt zich naar Lot toe.

'We maken een leeftijdverandermiddel,' fluistert ze 'Een toverdrankje dat jou een beetje ouder maakt en mij flink wat jonger! Ik weet zeker dat er zo'n recept bestaat!'

Lots gezicht klaart even op. Dan kijkt ze weer somber.

'Dat mag toch helemaal niet. Dat is knoeien met de wetten van de natuur. Ursula zou dat nooit goedvinden. Ze wordt woest als ze het merkt. En dan kunnen wij het wel vergeten om heks te worden.'
'We kunnen het toch stiekem doen? Wij tweetjes. Niemand hoeft het toch te weten? Ik wil ontzettend graag uit deze rot-rolstoel. En kijk eens naar deze bibberhandjes; en denk je dat dit zo leuk is...' Trix klappert met haar kunstgebit.
Lot trekt een gezicht. 'Bah, doe niet zo smerig. Denk je soms dat het niet zal opvallen als jij opeens hier rondhuppelt als een grietje van achttien, en ik ook? Leuk, Trix. Goed plan, kunnen we samen naar de disco.'
Trix' gezicht betrekt. 'Nee, dat kan niet, je hebt gelijk. Maar een beetje jonger kan toch wel, zodat ik uit mijn rolstoel kan en weer stevige benen heb. En dan neem ik telkens een klein slokje zodat ik niet meer ouder word... En jij tovert jezelf gewoon één jaartje ouder, dat merkt heus niemand, hoor.'
Lot haalt luidruchtig haar neus op en staart naar buiten.
'Ik weet het niet. Ik vind het een link plan. Als Ursula het in de gaten krijgt, kunnen we het wel schudden...'
Trix draait haar rolstoel om en rolt naar de eettafel waar haar breiwerk op ligt.
'Nou, goed. Dan niet. Maar dan kan je dat Hansje van je wel vergeten. Want tegen de tijd dat jij veertien bent, heeft hij allang een ander!'

Ursula is ziek

Lot zit naast Trix op een bankje in de tuin. Ze draait zenuwachtig knopen in haar haar.

'Maar hoe krijgen we dat toverboek dan te pakken? Ze is er de hele tijd mee aan het werk, voor dat Inter-heksen-netkookboek! En 's nachts gebruikt ze het als hoofdkussen. Ze houdt dat boek hartstikke goed in de gaten omdat ze niet wil dat Karel erin snuffelt.'

Trix breit met trillende handen verwoed verder aan haar sjaal, die intussen al erg lang geworden is.

'Ja, dat weet ik ook niet, hoor. Jij bent toch altijd zo slim, Lot? Bedenk maar wat.'

Plotseling vliegt de keukendeur open en Ursula strompelt naar buiten. Haar gezicht is spierwit en ze houdt haar handen tegen haar buik gedrukt. 'Boehwhlwaaa!' klinkt het.

Trix en Lot kijken elkaar verbaasd aan.

'Wat doet ze nou?' vraagt Trix.

'Ze kotst in een struik,' antwoordt Lot.

'Ze geeft over op de rododendron,' verbetert Trix.

Lot rent naar Ursula toe. Een paar meter van haar af stopt ze en trekt een vies gezicht.

'Boehwlahaaa!' doet Ursula weer.

'Ursula, wat is er?' roept Lot bezorgd.

Trix rolt tot naast Ursula en wrijft over haar gebogen rug. 'Kindje, kindje. Wat is er, ben je niet lekker?'

'Buwlhlllurgh!' antwoordt Ursula. 'Gloepwhaa!'

Ze gaat rechtop staan en veegt met haar schort haar mond en haar betraande ogen af.

'Getverpruttemedemme, dat was smerig.' Ursula rilt en laat een luide boer. 'Sorry, dames... Bhloeeewhaaa!'

'Bah,' zegt Lot. 'Kan je dat niet in de wc doen, waar niemand het ziet?'

'Die was Karel net aan het schoonmaken,' zegt Ursula verontschuldigend. 'Ik kon me nog net inhouden, ik had bijna over hem heen gespuugd.'

'Je ziet helemaal groen,' zegt Lot. 'Ben je ziek?'

Ursula strompelt naar het bankje en gaat er voorzichtig op zitten.

'Het is mijn eigen stomme schuld. Ik was te ongeduldig. Ik kreeg de vliegen er niet af, en toen heb ik ze... heb ik ze...' Ze klemt haar hand om haar mond en rent weer naar de struik. Karel is inmiddels ook in de deuropening verschenen. In zijn ene hand heeft hij een emmer en in zijn andere een wc-borstel.

Ursula komt bleekjes overeind. 'Ik... ik heb ze met plakstrip en al in de saus gedaan...'

Ursula veegt langs haar mond. Karel steekt haar behulpzaam een dweil toe.

Lot duwt hem boos weg.

'Je moet naar bed, Ursula,' zegt Trix. 'Je hebt een voedselvergiftiging. Jasses, hoe verzin je het: vliegen met plakstrip en al...'

Karel gooit het sop in een bloemperk en reikt Ursula de emmer aan. 'Hier, neem deze maar mee, die kan je vast nog wel gebruiken, Ur.'

Ursula pakt de emmer en strompelt naar binnen. 'Dank je, Karel. Ja, ik ga naar bed. Ik heb het gevoel dat ik doodga, zo misselijk ben ik. Lot, zet alsjeblieft de computer even voor me uit en gooi die ellendige saus gauw in de vuilnisbak...'

Als Lot naar buiten komt zit Trix weer in haar rolstoel naast het bankje. Ze wenkt Lot.

'Dit is onze kans,' sist ze. 'Ligt haar toverboek nog in de keuken?'

Lot knikt.

'En waar is Karel?'

'Die zit voor de tv, naar voetballen te kijken.'
'Lot, we moeten onze kans grijpen, nu!'
'Ik weet het niet, Trix. Ik durf niet goed...'
'Denk aan Hans. Die lieve, knappe, stoere Hans!' fluistert Trix. 'Ga naar binnen en schrijf het recept over! Vlug!'

Lot krijgt een verlangende blik in haar ogen.

'Hans...' mompelt ze. Ze draait zich om en loopt naar de keuken.

'Zóóó, Lotjepetotje... wat zijn wij daar aan het doen?'

Geschrokken klapt Lot het toverboek dicht.

Karel staat over haar heen gebogen en kijkt haar achterdochtig aan.

'Getver, ga alsjeblieft een paar meter verderop staan, Karel, je stinkt naar murf.'

Karel richt zich op en plant zijn handen in zijn zij. 'Niet zo brutaal, meisje. Volgens mij ben jij iets stiekems en stouts aan het doen en heb ik jou op heterdraad betrapt!'

'Heterdaad heet dat, sufferd. Ik was gewoon een les aan het overschrijven...'

'O, ja?' Karel rukt het boek uit haar handen en slaat het open bij de bladzijden waar haar pen nog tussen ligt.

'Verjongings- en verouderingsmiddelen... Streng verboden voor heksen lager dan klasse zeven,' leest hij. 'Zóóó, Lotje... en jij bent nog niet eens klasse één, volgens mij. Jij bent nog maar een mini-leerlingetje...'

Lot probeert het boek uit Karels handen te trekken.

'Geef hier dat boek, jij mag er helemaal niet aankomen!'

'Lotje, vertel me wat je aan het uitspoken bent, of anders... vertel ik het aan Ursula.'

Lot kijkt Karel woedend aan. 'Wat ben jij toch een nare achterbaksmiespel!'

Karel klemt het boek onder zijn arm en doet net alsof hij de trap op wil gaan, naar boven.

Lot trekt hem aan zijn mouw terug de keuken in.

'Niet doen,' sist ze. 'Ik zal het je zeggen...'

Half recept

Karel zit naast Lot en Trix op het bankje in de tuin.
Zijn ogen glimmen.
'Een verjongingsdrankje... Wauwie-zauwie-pauwie!'
'Ja, en ook een verouderingsdrankje.'
Karel fronst zijn wenkbrauwen. 'Ik denk dat massa's mensen wel
een jaartje jonger willen zijn, maar wie wil er nou ouder worden?'
'Ik,' antwoordt Lot. 'En je hebt er niks mee te maken waarom.' Ze
buigt zich blozend over de tekst die ze uit het toverboek heeft over-
geschreven.
Karel wrijft zich in de handen. 'Wat een te gek goed plan! Een verjongingsmiddel! Daar zit de hele wereld op te wachten; daar valt
grof geld mee te verdienen!'
Trix grijpt haar zoon bij zijn arm. 'Ho, wacht eens even Kareltje. Ik
hoor jouw hersentjes kraken... We gaan hier helemaal geen grof
geld mee verdienen! Dat middel is alleen voor ons privé-gebruik. Als
iemand zou merken dat wij het gemaakt hebben, worden we onmiddellijk uit het Veilig-Heksen-Verbond gegooid!'
'Maar mamsie! Denk je eens in! Als we zo'n drankje op de markt
brengen, worden we vast en zeker multi-multi turbo-triljonair!'
'Karel, vergeet het, komt niks van in. Ik hoef helemaal geen triljo-
dinges te zijn. Ik ben heel tevreden met wat ik heb. Ik wil alleen maar
uit die rolstoel en...'
'Ik snap helemaal niks van dit recept!' roept Lot uit. 'Moet je horen:

Recept voor Verjongingsdrank
Kook tezamen in een koperen pot: drie
en smelt daarbij driehonderd gram ossen

meng deze zes ingrediënten met een halve
Draai dit vervolgens door de
en verhit het tot
Strooi wat poeder van de blauwe
Zeef het geheel tenslotte door een
De dosering is allerbelangrijkst, maar...

Voor verouderingsdrank gooi de pot... Daar valt toch geen touw aan vast te knopen?'

'Wat vreemd,' mompelt Trix. 'Het lijkt wel of het een half recept is!'

'Dat is het natuurlijk ook!' roept Lot opgewonden en ze springt overeind. 'Het is een half recept! Voor de veiligheid. Omdat het een recept is waarmee je met de natuurwetten kan rommelen! Goed van jou, Trix!'

'En waar is dan de andere helft?' vraagt Karel.

'Dat weet Ursula vast wel,' zegt Trix.

Lots gezicht betrekt. 'Maar ze zal het ons echt niet vertellen. We hebben hier dus helemaal niks aan. Ik kan het net zo goed verscheuren...'

'Nee, niet doen...' Karel grist het vel papier uit haar handen. 'Niet zo snel opgeven!'

Lot pakt het papier boos terug en kijkt hem achterdochtig aan. 'Blijf ervan af, joh! Wat heb jij hier eigenlijk mee te maken? Je krijgt toch niks van het middel, hoor.'

Karel zet zijn aller-onschuldigste gezicht op. 'Ik? Ik hoef helemaal niets. Ik wil jullie alleen maar helpen. Ik heb toch mijn leven gebeterd?'

'Ja, ja, dat zal wel. Ik geloof er niks van. Maak dat je grootmoeder wijs.' Lot propt met een somber gezicht het vel papier in haar broekzak en loopt weg.

Karel doet net alsof hij een traan uit zijn ooghoek wegpinkt. 'Nou, zeg...' mompelt hij met verstikte stem.

Trix klopt hem op zijn arm. 'Ik geloof best dat jij je leven hebt gebeterd, jongen. Trek je maar niks van Lot aan. Ze heeft een moeilijke leeftijd en ze is verliefd.'

Trix wrijft haar brilletje schoon. Met kippige oogjes tuurt ze naar Ursula's slaapkamerraam. 'Maar ik geef het ook niet zo snel op, hoor. Voor Lot is het niet zo ontzettend belangrijk. Die wordt vanzelf wel ouder. Maar ik word niet vanzelf jonger. Ik ga hoogstens vanzelf dood...'

Ursula ijlt

Ursula ligt te woelen in haar bed. Druppels zweet staan op haar voorhoofd en haar dekbed ligt verfrommeld op de grond. Ze kreunt en mompelt en draait haar kussen keer op keer om zonder een koel plekje te vinden. Ze gaat rechtop zitten, pakt het kussen en gooit het weg. Karel, die net met een schone emmer in de deuropening verschijnt, kan het ding nog net ontwijken.

Ursula laat zich met een plof terugvallen. Karel legt het kussen weer onder haar hoofd.

'Nou nou, gaat het wel goed hier? Moet je nog overgeven, Ur? Hier is een schone emmer.'

Karel zet de emmer op de grond en gaat op een stoel naast het bed zitten. Hij legt een hand op Ursula's voorhoofd, maar trekt hem er meteen vanaf.

'Potjandikkie Ur, je gloeit als een kachel! Je hebt koorts!'

Karel rent naar de badkamer en komt terug met een glas water. Hij sjort Ursula overeind en helpt haar drinken.

'Kijk eens, Ur,' zegt hij met zijn allerliefste stem. 'Ik heb je toverboek meegebracht. Het lag nog in de keuken. Dat is niet veilig, hoor. Zal ik het onder je kussen leggen?'

Ursula knikt. 'Prwottels in de soep, moeten nog even doorkoken...' mompelt ze onduidelijk.

'Wat zeg je?' vraagt Karel.

'Snufje tenenkaas erbij... ruikt lekker.'

O jee, denkt Karel. Ze begint wartaal uit te slaan. Van de koorts natuurlijk. Maar misschien komt dat wel heel goed uit...

'Ursula, kan ik iets voor je doen?'

'Waar is Lot?' krast Ursula met schorre stem. 'Ze moet een drankje

voor me maken. De vliegen zoeven rond in mijn buik. En het plaksel zit vast in m'n keel...'

'Lot zit op school,' antwoordt Karel. 'En daarna gaat ze waarschijnlijk voor de etalage van de groentewinkel staan, dus die zien we voorlopig niet meer.'

'Trix?'

'Slaapt. Zal ik je helpen? Ik kan het ook best, hoor!'

'Nee, nee... Oooh, m'n maag... Bweeegloebwaaah!'

Met opgetrokken neus schuift Karel gauw de emmer onder Ursula's hoofd.

'Toch maar wel,' kreunt ze, terwijl ze haar mond afveegt 'Ik heb het koud, brrrr... dekbed...'

Karel schudt het dekbed op en legt het over haar heen. Hij trekt het toverboek onder het hoofdkussen uit. 'Zeg maar welke bladzijde, dan zoek ik het wel op.'

'Mag niet... dat kan jij niet...' Het zweet drupt van Ursula's voorhoofd af. Ze trekt het boek uit Karels handen en slaat het open. 'Ooo... de letters dansen voor mijn ogen... Het lijken net vliegen... bwwlllaaah!'

Karel pakt resoluut het boek terug. 'Kijk nou eens, Ur, had je bijna het boek ondergespuugd. Ik maak dat drankje voor je en daarmee uit. Zeg maar hoe het heet.'

'Hage... hagedissenstroop... Dat is het beste. Hagedissen eten vliegen... zoem... zoemmmm...' ijlt Ursula.

Karel bladert met glanzende ogen door het dikke boek. Hij is dol op toverkunsten, maar na het avontuur op Zanzibar heeft hij zelfs geen klein spreukje meer mogen doen.

'Ha, hier heb ik het: hagedissenstroop.' Karel grijnst sluw. 'Hé, wat vreemd! Het lijkt maar een halve spreuk! Hier kan ik niks mee, hoor!'

'Dat kan niet... dat kan niet,' kreunt Ursula.

'Toch is het zo, kijk maar...' Karel houdt het boek vlak voor haar neus. Ursula draait haar gezicht af. 'Vliegjes... zwarte dingetjes met pootjes... veel pootjes. Ooo, mijn maag...'

'Waar is de andere helft van de spreuk, Ursula? Je wilt toch beter worden?'

'Zeg ik niet, geheime vliegjes... Mag niet verklappen, bij Silitsia... Ooo, mijn hoofd!'

Karel springt overeind en klapt het boek dicht.

Hij rent de kamer uit en komt even later terug met een groot glas borrelend water. 'Ur, ik heb een beter idee. Helpt mij ook altijd razendgoed als ik een kater heb. Twee bruistabletjes doen wonderen! Nou, beterschap en hou je taai, beste meid!' En weg is Karel.

Op naar Silitsia

Lot sjokt over het schoolplein. Om haar heen rennen joelende kinderen. Het is niet eerlijk, denkt ze. Het komt nooit meer goed en het leven is niet leuk... Alles en iedereen is stom, stom, stom.

Dan ziet ze dat er naast de schoolpoort, in de schaduw van een grote boom, iemand haar driftig staat te wenken. Haar hart maakt een sprongetje en een hele optocht vlinders schiet plotseling door haar maag. Zou het... Is het? Lot begint te rennen.

Als ze de poort uit is, stopt ze. 'Nee, hè! Jij bent het maar. Wat doe jij hier in 's hemelsnaam? Ga weg, wat moeten de andere kinderen wel van me denken.'

Karel pakt Lot bij de arm en probeert haar in de richting van de boom te trekken.

'Lot, zeur nou niet, ik heb het! We hebben geen tijd te verliezen! Ik heb de stofzuiger meegebracht!'

Lot rukt zich los. 'Blijf van me af, man. Dadelijk denken ze dat je een kinderlokker bent, of zoiets! Waar heb je het over?'

'Ik weet waar de andere helft van het recept is! Bij Silitsia! Je moet ernaartoe en snel, want anders is Ursula weer beter en kunnen we het niet meer maken. Je weet toch wel? Het verjongings... het middel waardoor je een beetje ouder wordt. Hans heet-ie toch?'

Lot springt gauw achter de struiken die om de boom heen staan. Ze struikelt bijna over de stofzuiger.

'Hoe weet jíj dat nou? Wie heeft je dat verteld?' sist ze kwaad.

'Doet er niet toe. Dit is onze kans. Ga nou gauw naar Silitsia en schrijf de andere helft van het recept over!'

Lot sputtert nog tegen. 'Ik kan nu niet opstijgen. Als iemand me ziet...'

'De kinderen zijn zo weg. Ik ga wel op de uitkijk staan,' fluistert Karel.

Even later vliegt Lot door de lucht. Ze kijkt schichtig om zich heen en drukt op de turboknop. Ze trekt zo hoog mogelijk op. Waar ben ik mee bezig? denkt ze. Op klaarlichte dag rondvliegen – ik lijk wel helemaal gek! Als iemand omhoogkijkt... Een recept van Silitsia stelen. Als Ursula erachter komt... Hoe moet ik het eigenlijk doen? Het lukt me toch nooit. Maar Lot moet ook aan Hans denken en of ze wil of niet, ze vliegt door.

'Lot, wat een verrassing! Dat is lang geleden. En dat zomaar overdag. Wat leuk dat je tante Silitsia in haar hutje op de hei nog eens komt opzoeken! Kom binnen, kom binnen.'
Met een rood hoofd loopt Lot naar binnen. Ze sleept de stofzuiger achter zich aan. Ik schaam me dood, denkt ze. Silitsia is zo aardig en ik kom hier iets stelen...
'Let maar niet op de troep, hoor,' zegt de heks en ze wijst naar de halfgevulde koffers die in de woonkamer op de vloer liggen. 'Ik ga namelijk op vakantie, ik weet nog niet waarheen... Maar ik ga! Vanmiddag vertrek ik. Lust je een kopje mierenzuursap? 't Is versgeperst!'
'J... ja, ja lekker,' stottert Lot. 'Ik heb enorme dorst.'
Silitsia verdwijnt fluitend naar de keuken. Lot kijkt speurend om zich heen. Het toverboek, waar is het toverboek? Hoe moet ze dit nu aanpakken? Dan valt haar blik op een stapel felgekleurde jurken die op een bank ligt. Daaronder? Is dat het?
'Zo, kijk eens hier! Een lekker ijskoud glaasje mierenzuursap! Dat zal je goeddoen na zo'n eind vliegen! En vertel eens kind, was je hier in de buurt of zo?'
'Nou, ja, nee, zo ongeveer...' mompelt Lot onduidelijk. Ze neemt een slokje van het sap en moet er meteen ontzettend van hoesten.

Silitsia glundert. 'Lekker pittig, hè? Ik heb nog nooit een mensenkind ontmoet dat zoveel heksendingen lust als jij, Lot. Ik ben echt trots op je. Je zal later een heel goede heks worden!'
O, ze is zo aardig, kreunt Lot in stilte. Wat een misbaksel ben ik...
Maar Silitsia ratelt alweer door, zonder op een antwoord van Lot te wachten. 'O, ik ben zo opgewonden! Ik ben wel vijftig jaar niet weggeweest en nu kreeg ik opeens de kriebels! Niet meer te houden gewoon!' Met een zwaai gooit ze een stapel dieppaars ondergoed met sterretjes in een koffer. 'Maar waar, o waar, zal ik heen gaan? Heb jij nog een ideetje, Lot?'
Lots blik valt op de computer, die in de hoek van de kamer staat.
'Waarom kijk je niet even op het Inter-heksen-net, Silitsia? Daar staat vast wel een rubriek met Heksenvakantiebestemmingen op!'
Silitsia pakt Lot op en tilt haar in de lucht. Dan geeft ze haar een klapzoen. 'Zie je wel! Het moest gewoon zo zijn dat je langskwam!

Wat een geweldig idee! Kan je me even helpen met zoeken, Lot? Ik ben nog steeds niet erg handig met dat ding. Dat recept naar Ursula doorsturen kostte me al heel veel moeite.'

Lot slikt en gaat voor de computer zitten. 'Ja, hoor. Het is heel simpel. Je toetst hier gewoon VAKANTIEBESTEMMINGEN in, en dan ENTER. Kijk, en dan druk je op dat knopje en daar zijn ze al... Met plaatjes erbij... Heksenvakantiebestemmingen over de hele wereld! Dan kan je nog kiezen tussen Heksencampings, Heksenhotels aan zee... georganiseerde Heksenbusreizen naar Oostenrijk... Wat je maar wil. Je klikt het gewoon aan met de muis.'

Lot komt overeind en Silitsia gaat opgewonden op de stoel zitten. 'Lot, wat fantastisch. Ik wist helemaal niet dat dat er allemaal was... O, moet je dit zien, wat enig: een Heksenpretpark op IJsland! En dít...'

Terwijl Silitsia helemaal verdiept is in het computerprogramma sluipt Lot naar de bank en gaat naast de stapel jurken zitten.

'Neem nog een glaasje sap, Lot! Ik ben voorlopig wel even bezig!' roept Silitsia zonder van het beeldscherm op te kijken.

Lot trekt het toverboek onder de stapel kleren vandaan en slaat het met trillende handen open. *Vernieuwing... Verwijding... Verdwijning...* Daar staat het: *Verjonging en Veroudering.* Lot werpt zenuwachtige blikken naar Silitsia. Ze kan hier toch niet gaan zitten overschrijven? Dan ademt ze diep in, hoest hard om het geluid te camoufleren en scheurt de bladzijde eruit.

'Scherp spul, hè? Dat mierenzuursap! Maar heel gezond hoor!' zegt Silitsia. 'Zit veel vitamine H in!'

Lot trekt wit weg van schrik en propt het vel gauw in de zak van haar jurk. Ze klapt het boek dicht en stopt het weer onder de jurken. Wat ze heeft gedaan is onvergeeflijk, en ze voelt zich vreselijk... maar alles voor de liefde.

Uit de weg

Ze heeft zich door Silitsia laten overhalen om te blijven eten, omdat bij daglicht vliegen toch wel riskant is. Mmm, haar lievelingsmaaltje: gebakken paddentongetjes met sprinkhanensla. Lot vliegt door de avondschemering naar huis. Ze is heel tevreden. Alles gaat van een leien dakje. Ursula zal minstens nog een paar dagen in bed liggen en de kust is dus vrij. Vanavond maakt ze het drankje en morgen...

Lot zet boven het bos de daling in. Ze draait een paar rondjes boven het huis en schrikt zich suf. Ursula zit op het bankje met Trix een kopje thee te drinken. Met een plof komt Lot neer op het grasveld.

'Ursula! Ben je al beter? Hoe kan dat nou?' roept Lot uit. 'Jij moet nog in bed liggen!'

'Helemaal niet,' antwoordt Ursula. 'Ik voel me weer tiptop! Dankzij het tovermiddeltje van Karel. Geweldig, zeg! Het bruiste en borrelde en binnen een uurtje of twee was ik weer helemaal de oude!'

Lot en Trix kijken elkaar verwonderd aan en Lot vraagt: 'Tovermiddeltje van Karel?'

'Ja! Knap, hè? Ik dacht ook niet dat hij het in zich had. Normaal is het zo'n stuntel,' zegt Ursula opgewekt.

'Ho, ho, je hebt het wel over mijn zoon, hoor. Hij is geen genie, maar hij heeft een goed hartje,' roept Trix beledigd.

'Waar is Karel eigenlijk?' vraagt Lot.

'Binnen.'

Lot rent het huis in. Ze vindt Karel in de woonkamer, gebogen over een telefoonboek. Hij schrikt als Lot binnenstormt en klapt het boek gauw dicht.

'Wat heb je nou gedaan, rijstwafel!' roept Lot boos. 'Je hebt Ursula

35

beter gemaakt! Dat was toch niet de bedoeling?'

'Twee bruis-aspirientjes,' zegt Karel verontschuldigend en hij moffelt het telefoonboek onder de bank. 'Wist ik dat dat zou helpen bij een heks? Heb je de andere helft van het recept?'

Lot knikt. Ze laat zich op een stoel vallen en slaat haar benen over de leuning.

'Ik vind het maar niks, ik voel me rot hierover. We zijn stiekem bezig en we doen dingen die helemaal niet mogen. Ik wil ermee kappen.'

Karel springt overeind. Zenuwachtig in zijn handen wrijvend loopt hij om Lot heen. 'Maar Lotje, dat kan je toch niet menen. We zijn al zo ver op weg. We hebben het recept! We staan op het punt om schat... Ik bedoel, jij staat op het punt om die schat van jou... die bijzondere jongen... Zo lopen er niet veel in de wereld rond, hoor!'

Lot wrijft in haar ogen. 'Nee, dat weet ik ook wel, maar het deugt niet! Het is stiekem en het mag niet.'

Karel gaat naast Lot op de leuning van de stoel zitten.

'Ga weg, vent! Je stinkt naar murf!'

Karel strijkt zenuwachtig door zijn vette haar. Hij gaat voor het raam staan en kijkt naar buiten.

'Tja, Lot, ik wilde het je eigenlijk niet vertellen, maar vanmiddag toen ik door het bos liep...'

Lot trekt een ongeduldig gezicht.

'Toen ik door het bos liep, je weet wel, dat romantische weggetje waar die wilde rozen groeien...'

'Ja? Nou en... Wat kan mij dat schelen?'

'Nou, daar zag ik die jongen lopen. Hans heet-ie toch? Met een meisje, een leuk meisje met een lange blonde paardenstaart...'

'Wat?' roept Lot en ze springt op. Haar ogen schieten vuur. 'Kom op, we gaan onmiddellijk dat middel maken!'

'Ho, ho, kalmpjes aan,' zegt Karel grijnzend. 'Niet zo haastig en onvoorzichtig. Eerst moet Ursula uit de buurt zijn. Let maar eens op, slimme Karel heeft een plannetje...'

Lot volgt Karel naar buiten.

'Ursula,' zegt Karel. 'Ik ben zo blij dat je beter bent, dat ik eens een lekker feestmaaltje voor je zal klaarmaken: frietjes, met schilpaddipsaus, kwartelnekjes in knoflookboter, een lekkere kom nachtschade-sla... Wat denk je ervan?'

Lot kijkt stomverbaasd naar Karel.

Ursula trekt een vies gezicht. 'O, Karel, alsjeblieft niet!

Ik moet niet aan eten denken, nu. Ik voel me nog steeds wat wiebelig en licht in mijn hoofd, hoor. Ik kan even geen eten meer zien.'

'Dat begrijp ik,' zegt Karel. 'Dan heb ik een beter idee. Je moet er eens tussenuit, Ur. Eventjes dat hele Inter-heksen-netkookboek uit je hoofd zetten. Waarom ga je niet lekker naar de film, met Trix. Er draait een hele goeie... *De heksen* van Roald Dahl!'

Hij kijkt op zijn horloge. 'Over een half uurtje begint hij, als je opschiet kan je 'm nog net halen.'

Ursula kijkt Trix aan. Lot maakt stiekeme gebaren naar Trix dat ze ja moet zeggen.

'Jaaa!' roept Trix uit. 'Naar de film, hartstikke leuk! Ik wil heel graag! Zullen we, Ursula?'

'Jij naar de film? Je valt altijd binnen vijf minuten in slaap!'

'Maar vandaag niet! Ik voel me de laatste tijd juist tien jaar jonger!'

Trix geeft Lot een vette knipoog. 'Toe, Ursulaatje, alsjeblieft, laten we gaan.'

'Nou, goed dan. Als jij zo graag wilt. Je mag achterop de stofzuiger, het is toch donker.'

Ursula staat op en haalt haar lange nagels door haar haar. 'Zie ik er niet vreselijk uit, Lot?'

'Je ziet er fantastisch uit, Ursula!' zegt Lot en ze holt weg om de stofzuiger te halen.

Een driesterrenheks

'Blauwselpoeder! Karel, blauwselpoeder! Dat is het enige wat ik nog moet hebben!'
Lot roert driftig in een pan en kijkt op haar horloge. 'Hoe laat is die film afgelopen?'
'Maak me niet zenuwachtig, over een half uur en dan moeten ze nog terugvliegen. Ik heb Trix gezegd dat ze moet proberen Ursula een café in te krijgen!'
Karel graait haastig tussen de potten in de kast. 'Ik kan het niet vinden! Het staat hier niet. Blauwe torren-puree? Is dat ook goed?'
'Nee, loempia! Natuurlijk niet! Blauwselpoeder is blauwselpoeder!' roept Lot ongeduldig. Ze roert van de zenuwen zo hard in de pan dat de inhoud eroverheen klotst. 'Ik weet het, ik weet het!' roept ze ineens. 'Het is dat spul dat Ursula bij de witte was doet! Ga in de badkamer kijken, Karel!'
Karel rent weg. Uit de badkamer klinkt gerommel en gerinkel.
Even later is hij weer terug met een klein wit zakje.
'Is dit het?'
'Ja, "Blauwselpoeder" staat erop. Wat heb je in heksensnaam uitgespookt?'
'Ursula's make-up spullen per ongeluk op de grond gegooid. En het zeeppoeder ook.'
'Dropjojo!' zegt Lot. 'We moeten alles nog opruimen, voordat ze terug zijn. Kijk de keukenvloer eens!'
Karel kijkt omlaag. Tussen zijn voeten door wriemelen roze wurmpjes, die uit een opengelaten pot zijn gekropen. Verder is de vloer bezaaid met kruiden en blaadjes.
'Let op, het laatste ingrediënt gaat erbij!'

Lot strooit het poeder in het kokende mengsel, terwijl ze met een zangerige stem een spreuk opzegt:

Impel, dimpel, rimpel, roest
knarrig, kromme, oude knoest.
Alles, alles heeft zijn tijd
tot de klok wordt omgeleid.

Kalk in de aderen, broos het bot,
ook in de kiezen komt het rot.
Staar in de ogen, kners en knars,
bibber in de handen, boos en bars.

Toverdrank is wat draaien kan,
gooi er wat bij, roer in de pan.
Weg met rimpels, roest en pijn!
Sluit de deur voor Magere Hein!

De vloeistof begint te sissen en te borrelen. Karel springt geschrokken achteruit. Een helderblauw licht straalt uit de pan omhoog.
'Wat is dat?' roept hij geschrokken. 'Gaat het ontploffen?'
'Nee,' zegt Lot. 'Dit hoort zo, het is klaar!'
Met moeite tilt ze de pan van het vuur. 'Staan de jampotten klaar?'
Karel schuift twee grote potten naar voren en zet een trechter in de voorste.
Lot giet voorzichtig het lichtgevende brouwsel over.
'Nog een pot, nog een pot! Het is te veel.'
Karel graait in een keukenkastje. 'Getverjakkie, hier zitten die roze misbaksels ook al!' Griezelend slaat hij een wurm van zijn vingers af.
'Schiet op, die pan is heet!' roept Lot. Haar gezicht is rood en bezweet en haar blonde haren pieken voor haar ogen.

Karel schuift gauw nog een pot naar voren. Lot giet de pan leeg en schroeft de potdeksels stevig vast.
'De emmer, waar is de emmer met ijswater?'
Karel wijst achter haar.
Met een keukenhandschoen aan pakt Lot een pot op. 'Nu moet ik deze pot in het ijswater gooien...' mompelt ze.
'Waarom, waarom?' vraagt Karel.

'Sssjt, stil, het moet vlug gebeuren! Als-ie maar niet barst...'

Sneller, sneller tikt de tijd,
flitsen in de eeuwigheid.
Twee, vier, acht, de cellen delen,
eerst met weinig, dan met velen.

Kalf wordt koe en kuiken kip:
groeien doe je in een wip.
Big wordt varken, kleuter grijs,
voor je 't weet ben je oud en wijs.

Jaren gaan en komen niet terug,
rups wordt vlinder, pop wordt mug.
Sneller, sneller raast de tijd,
flitsen in de eeuwigheid.

Lot gooit de hete pot in het water. Het water sist.
'Het lukt, het lukt!' roept Lot en ze trappelt van opwinding. 'Ik kan het al hartstikke goed! Kijk Karel, het verandert van kleur!'
Voorzichtig haalt Lot de pot uit het water. In plaats van lichtgevend blauw is de inhoud van de pot nu lichtgevend roze.
'De werking van het spulletje is bij deze pot omgekeerd,' legt Lot uit. Ze wijst naar de potten met het lichtblauwe spul. 'Dat is verjongingsmiddel en dit...' Ze steekt de roze pot omhoog. 'Hiervan word je ouder. Hansje, ik kom eraan!'
Karel kijkt met glimmende ogen naar de potten. 'Lot, je bent geweldig! Een driesterrenheks! Op zijn minst!' Hij wil een blauwe pot pakken, maar Lot houdt hem tegen. 'Nee, afblijven, jij! Het is niet voor jou. We moeten dit nu eerst opbergen en gauw de boel opruimen voordat Ursula thuiskomt!'

Twee zatte heksen

'Nou, die Lot is me ook een mooie. Mag ik het vieze werk opknappen, terwijl zij lekker thuis in haar bedje ligt. Ga weg, mormel!' Karel schudt een roze wurm uit zijn broekspijp en wringt de dweil uit. 'Wat een zootje heeft ze ervan gemaakt... En ik ben altijd de klos, maar niet voor lang meer!' Karel gooit de poetsspullen in een hoek en trekt een telefoonboek onder het kussen van de bank vandaan.

Er zit een blaadje tussen. Karel gaat op de bank zitten en slaat het boek open. 'Nog eventjes, nog eventjes en Kareltje is rijk!' neuriet hij. 'Hier! Max Plaktor! Cosmeticabedrijf! Daar ga ik morgen eens even fijn op bezoek! Met een klein leuk lichtblauw flesje! O, ja! En ze zullen de rode loper voor me uitleggen en me overladen met bankbiljetten!'

Karel stopt het briefje in zijn zak. 'Alleen heeft die vervelende meid nou weer roet in het eten gegooid. Ze heeft de potten in haar rugzak gestopt en mee naar huis genomen. En het recept ook. Ik vrees dat Karel op het slechte pad moet vanavond.'

Karel springt overeind en loopt naar het raam. 'Maar waar blijven Trix en Ursula nou. Ze hadden allang thuis moeten zijn...' Karel kijkt op zijn horloge. 'Half een al, als er maar niks gebeurd is.'

Karel loopt naar buiten en speurt de hemel af. Het is koud, de lucht is wolkenloos en het is bijna volle maan. Plotseling klinkt er in de verte gezoem. En gezang.

'Johooo! Johooo! Wij heksen doen het zooo!' klinkt het vals. Zigzaggend tussen de bomen komt de stofzuiger in zicht. Karels mond zakt open.

'Johooo! Johooo! Kaaareltje! Daar zijn we weeer!' kraait Trix. Ze zwaait enthousiast naar Karel en glijdt half van de stofzuiger af.

'Hou je vast, ouwe meid, we gaan een salto maken. Johooo! Karel, let ooohooop!' gilt Ursula.

Karel slaat verschrikt zijn handen voor zijn gezicht.

'Johooo! Joepiee!'

KRAAAATSJ!

Met luid gekraak landen Ursula en Trix in een struik.

Karel rent ernaartoe. Uit de struik steken vier armen en benen omhoog. De stofzuiger bromt nog zachtjes na en gaat dan met een plof uit.

Karel begint aan het dichtstbijzijnde been te sjorren. 'Mamsie, mamsie! roept hij bijna huilend. 'Mamsie! Zeg eens wat! Leef je nog?'

'Au! Uilskuiken, dat is mijn been! Hik! Blijf van me af!'
Kreunend komt Ursula uit de struik gekropen.
Karel geeft een ruk aan het andere paar benen.
'Johooo!' klinkt het onduidelijk van tussen de bladeren. 'Waar zijn we? Doe mij nog maar een drupje, barman!'
Karel trekt zijn moeder uit de struik en zet haar op de grond. Trix' bril hangt aan één poot achter haar oor. Ze zit onder de schrammen, maar kijkt heel vrolijk. Ze valt Karel om de hals.
'Haaa! Lief zoontje van me! Ouwe stinkende murf die je bent!'
Karel duwt haar weg. 'Getver, mams, je ruikt naar drank! Wat hebben jullie uitgespookt?'
'We moesssten toch naar het café, beste knulll?' giechelt Trix met dubbele tong. Ze probeert Karel een vette knipoog te geven. 'Voor het drrrankje!' Karel slaat gauw zijn hand voor haar mond. 'Stil mens!' sist hij geschrokken.
'Grroooh... pjjsss...'
Karel kijkt achterom. Ursula ligt op het gras te snurken, met haar hoofd op de geknakte slang van de stofzuiger. Bonk! Trix is ook omgekiept en slaapt als een dronken tor.
'Teetjemineetje... moet je dit nou zien...' mompelt Karel. 'Twee zatte heksen... en dat op hun leeftijd!' Hij grijnst. 'Maar... dat komt Kareltje helemaal niet zo slecht uit!' Hij pakt de kruiwagen die achter de schuur staat, laadt de twee ronkende dames erin en rijdt ze naar binnen.

Een uurtje later drukt Karel zich plat tegen de muur van het huis waarin Lot woont en kijkt omhoog.
Daarboven staat een raam op een kiertje open. Maar Karel weet niet of dat Lots slaapkamer is. Er zijn twee ramen, en langs eentje loopt maar een regenpijp. Karel heeft veel spannende films gezien, dus hij weet precies wat hij doen moet. Hij trekt de zwarte muts over zijn gezicht en snoert zijn rugzak wat steviger aan. Dan begint hij voor-

45

zichtig naar boven te klauteren. De regenpijp kraakt akelig. Dat hoor je nooit in de film. Maar Karel zet door. 'Sapje, lief blauw potje, Kareltje komt eraan...' fluistert hij zachtjes.

Met veel moeite wurmt Karel zich naar binnen. De kamer is niet helemaal donker, omdat de maan door de halfopen gordijnen naar binnen schijnt. Karel schrikt van zijn eigen bewegende schaduw die op het tapijt valt. Hij probeert uit alle macht zijn hijgende ademhaling tot bedaren te brengen. In een hoek van de kamer staat een bed. Het is een hoogslaper, met een bureau eronder. Karels hart bonkt in zijn keel en zijn knieën trillen. Hij heeft geluk! Dit moet Lots kamer zijn want ze heeft geen broertjes of zusjes. Karel wrijft zich in de handen. Wat gaat alles toch goed, wat zit het hem mee! Hoe was dat spreekwoord ook maar weer? Het geluk is met de... slimmen?

Ja, dat was het. Karel spiedt de kamer rond. Lot heeft haar rugzak met die kostbare inhoud vast niet beneden laten liggen. Lot mompelt in haar slaap en draait zich om. Karel verstijft en houdt zijn adem in. 'Hansiewrbrwwtnou... Ja, doet u maar een maatje groter alzubliewwrrt...'

Karel drukt zijn hand tegen zijn mond. Van de zenuwen krijgt hij een giechelaanval. Lot draait zich nog een keer om en is weer stil.

Karels benen bibberen nog steeds ergerlijk, alsof ze elk moment als kauwgum in elkaar kunnen zakken. Voorzichtig gaat hij op het puntje van de stoel voor het bureau zitten. Maar het is een stoel met wieltjes en hij glijdt zoef... onder Karels achterwerk vandaan. Met een doffe dreun belandt Karel op de grond.

Het gaat beginnen...

Vliegensvlug laat Karel zich onder het bureau rollen. Zijn hart bonkt in zijn keel. Zou Lot wakker geworden zijn van het lawaai?
Lot mompelt wat, gaat overeind zitten, draait haar kussen om en ploft weer neer.
Karel haalt opgelucht adem. Maar... te vroeg. Plotseling hoort hij in de kamer ernaast gestommel.
'Wat ga je doen, Kees?' vraagt een vrouwenstem.
'Ik dacht dat ik wat hoorde. Misschien is Lot weer aan het slaap-wandelen, ik ga even kijken,' bromt een zware mannenstem terug.
O, nee! Karel kruipt zo ver weg als hij kan. Het bureau staat onder de hoogslaper, evenals een kast. Achter de kast is een open ruimte. Karel perst zijn benen ertussen. Hij past er niet helemaal in. Met zijn voeten stoot hij tegen iets hards aan.
Een grote man in pyjamabroek komt de kamer binnen. Hij wrijft sla-perig in zijn ogen en loopt naar de hoogslaper toe.
Als hij ziet dat Lot rustig slaapt, draait hij zich om en schuift de stoel onder het bureau. De poot ervan komt hard tegen Karels neus aan. De tranen springen hem in de ogen en Karel moet zijn vingers in zijn mond proppen om het niet uit te schreeuwen van de pijn.
'Jasses, wat stinkt het hier!' mompelt Lots vader. 'Wat een smerige lucht!' Hij snuffelt boven de wastafel. 'Zou de afvoer soms verstopt zijn?' Dan loopt hij naar het open raam, steekt zijn hoofd naar buiten en snuift. 'Nee, hier komt het ook niet vandaan. Morgen de lood-gieter bellen.' Lots vader zet het raam helemaal open, geeft Lot zachtjes een kus op haar hoofd en sluipt de kamer uit. De deur trekt hij achter zich dicht. Karel zwaait hem vanuit zijn schuilplaats na en haalt opgelucht adem. Zonder geluid te maken probeert hij zich los

47

te wurmen uit de smalle ruimte. Weer stoten zijn voeten tegen iets hards aan. Dan krijgt Karel plotseling een ingeving. Natuurlijk! Daar heeft die slimme meid het verstopt! Hij schuift de stoel vooruit, draait zich om en steekt zijn hoofd achter de kast. Jaaa... Bingo! Daar ligt Lots rugzak. Karel kan hem in het donker zien, want er straalt een zacht lichtblauw en roze licht doorheen. Hij steekt zijn hand in de rugzak. De potjes voelen vreemd warm aan. De velletjes papier met het recept zitten er ook bij. Hij trekt zijn eigen rugzak van zijn rug en haalt er een klein flesje, een trechter en een fototoestel uit.

'Zo, Karel! Heb je gevochten?' roept Lot vrolijk als ze de volgende ochtend de keuken binnenkomt.

Karel mompelt iets onduidelijks over een wesp en verbergt zijn opgezwollen gezicht achter de krant. 'En dames? Hebben jullie een leuke avond gehad?' vraagt hij dan.

Ursula zit met een mopperig gezicht en warrige haren boven haar bord, waarop een onaangeraakte boterham ligt. 'Au! Wil je alsjeblieft wat zachter praten, het lijkt wel of er een kudde kwaaie olifanten in mijn hoofd rondstampt!'

Lot kijkt Trix vragend aan. 'Na de film zijn we nog wat gaan drinken,' verklaart Trix stralend. 'En het was hartstikke gezellig! Er was een heel leuke barman en die gaf ons steeds maar gratis glaasjes port, nadat Ursula een zak goudstukken had getoverd om ons eerste glas te betalen. We hebben zo'n pret gehad!'

'Zachter! Ooo, au, mijn arme hoofd! En ik ben weer misselijk!' kreunt Ursula. 'Waar is de emmer?'

'Je hebt een kater,' zegt Lot grinnikend. 'Miranda heeft gezelschap.' En ze aait de kat, die boven op de tafel zit.

'Een kater, een hond, een paard, het zal me een worst wezen. Ik ga terug naar bed.' Ursula staat moeizaam op en met beide handen tegen haar hoofd gedrukt strompelt ze de keuken uit.

49

Trix schenkt een kop thee in voor Lot. 'Ik heb nergens last van, hoor! Ik voel me kiplekker!'

Ze buigt zich naar Lot toe. 'Het komt wel goed uit, hè, dat Ursula naar bed is? Is het gelukt? Is het spulletje klaar? Zullen we maar meteen beginnen?'

'Waarmee?' vraagt Karel en hij klapt zijn krant naar beneden. Zijn neus is paarsig rood en opgezwollen.

'Met het toverdrankje! Ik vind het zo spannend! Ik heb bijna de hele nacht wakker gelegen van opwinding,' fluistert Trix.

'Ha! De hele nacht wakker gelegen! Ik heb je met de kruiwagen in je bed gekiept en je snurkte als een dronken matroos, mamsie...'

'Ik heb iets bedacht,' zegt Lot met een ernstig gezicht. 'We hebben een proefkonijn nodig.'

'Waarom?' vragen Trix en Karel tegelijk.

'Ik vind het link om zomaar een slok te nemen. Wie weet wat er gebeurt? Het is voor het eerst dat ik zo'n krachtig recept gemaakt heb en om eerlijk te zijn...'

'Wat?' klinkt het in koor.

'Ik vind het eng. En het mag niet.'

Trix rolt naar Lot toe en spreidt haar armen.

'Hier is je proefkonijn, probeer het maar op mij uit! Ik wil niets liever dan zo snel mogelijk die rolstoel uit. Ik wil weer rondhuppelen en mijn eigen mooie kastanjebruine haren terug!'

Lot drukt de rugzak stevig tegen zich aan.

'Ben je nou helemaal betoeterd, Trix. Dat wil ik niet.'

'Een proefkonijn, een proefkonijn...' mompelt Karel. 'Ik weet wat! Zal ik naar de dierenwinkel gaan en daar een echt konijn kopen? Dan proberen we het daarop uit!'

Lots gezicht klaart op. 'Dat is een goed idee. Maar we hebben een verjongings- en een verouderingsdrankje. Dus we hebben een jong en een oud konijn nodig.'

Karel springt op. 'Ik ben al weg!'

Proefkonijnen

'Och gut... wat een schatje, en hij is nog zo klein!'
Lot haalt een piepklein, bruin-wit gestreept konijn uit de doos die
Karel heeft meegebracht. 'Hoe kom je eraan?'
'Gewoon, uit de dierenwinkel, natuurlijk. Die meneer keek wel een
beetje raar toen ik ook nog om een stokoud konijn vroeg.' Karel tilt
het andere dier uit de doos en grijnst. 'Die vent dacht dat ik 'm ging
opeten! Maar hier kan je nog geen soepje van trekken!' Lot bekijkt
het grijze magere beest. Het is duidelijk heel oud. Het blijft in elkaar
gedoken met zijn oogjes halfdicht op de tafel zitten. Zijn oren
hangen treurig naar beneden en hij heeft kale plekken in zijn vacht.
'Gossie, wat zielig.'
'Kan je nagaan hoe ik me voel!' zegt Trix vinnig. 'Dat dier zit tenminste nog niet in een rolstoel! Schiet op, Lot, dadelijk komt Ursula
naar beneden.'
Lot bukt zich en haalt het recept uit haar rugzak. 'Bij het recept staat
de dosering. Wat vreemd, het is gekreukt en...' Met opgetrokken
neus ruikt ze aan het papier.
Karel krijgt een rode kop en trekt gauw de velletjes uit haar handen.
'Ik zal het wel voorlezen!' roept hij.
'Helemaal niet, blijf af, man. Bij jou is het niet veilig!'
Boos grist Lot de blaadjes terug.
'De dosering is heel belangrijk. Het moet met een pipet, zodat je de
druppels kunt afmeten.' Lot haalt twee lege neusdruppelflesjes uit
haar rugzak. 'Uit de verbandkist gepikt,' zegt ze tegen Trix.
Lot haalt ook de drie potten te voorschijn en zet ze op tafel. 'Hé, het
lijkt wel of er hier iets uit is...'
Karel kucht benauwd achter zijn hand.

Ze voelt met haar hand aan de rand van het deksel. 'O jee, vochtig. Hij heeft gelekt. Wat raar, ik dacht toch dat ik hem goed dichtgedaan had!' Ze kijkt naar Karel, wiens gezicht een en al onschuld uitstraalt. Lot giet voorzichtig wat roze vloeistof in het ene flesje en wat blauwe in het andere.

Karel heeft het jonge konijntje op schoot en Trix het oude. Beiden kijken ademloos en gespannen naar wat Lot doet.

'Een druppel is een jaar...' fluistert Lot. 'Doe zijn bekje maar open...'

Plotseling klinkt er een harde slag tegen de verwarming.

'Kaaarel, emmer, snel!' klinkt het van boven.

De drie schrikken overeind.

'Karel, schiet op! Breng Ursula een emmer,' sist Lot.

Als Karel even later buiten adem weer naar beneden komt, zijn Lot en Trix verdwenen, en de konijnen ook...

Hij kijkt om zich heen. Stik! Waar zijn ze nou? Zijn ze ervandoor gegaan zonder hem? Wat een flauweriken!

Karel voelt in zijn zak en grijnst. Het kan hem niks schelen ook: hij heeft het flesje en hij heeft het recept gefotografeerd. En... hij weet nu de dosering. Een druppel voor een jaar! Hij heeft dat vrouwvolk helemaal niet nodig! Op naar het grote geld! Op naar Max Plaktor!

'Doe eens een lichtje aan, ik zie niks!' Trix maait de spinnenwebben voor haar gezicht weg. 'Getsie, wat doet Ursula hier in de schuur? Is dit een spinnenkwekerij, of zo?'

Lot knipt een lamp aan en kijkt rond. 'Zo te zien wel. Ursula verwerkt spinnen in allerlei recepten. Hier komen ze dus vandaan.'

'IEEEEK!' gilt Trix en ze gebaart met een gezicht vol afgrijzen naar haar nek. 'Lot! Er kriebelt daar iets! Help!'

Lot plukt koeltjes een vette kruisspin uit Trix' kraag. 'Ach, die beestjes doen toch helemaal niks.' Ze bekijkt een groot web belangstellend van dichtbij. 'Tenzij Ursula hier ook tarantula's fokt...'

'Ta-ta... ik wil hier weg!' stottert Trix en ze rijdt in de richting van de deur.

'Grapje!' zegt Lot lachend. 'Tarantula's zijn te taai om te eten. Kom op met die konijnen!'

Ze veegt met haar handen een stoffige tafel schoon en zet de doos erop.

'Ik vind wel dat we op Karel hadden moeten wachten,' moppert Trix.

'Hij vindt ons heus wel. Het was veel te gevaarlijk om in de keuken te blijven. Als Ursula naar beneden was gekomen en ons bezig had gezien... En bovendien: ik vertrouw Karel voor geen meter.'

'Zeg, meisie... je hebt het wel over mijn zoon, hoor...'

'Met welk konijn zal ik beginnen?' vraagt Lot.

'Met het oudste, natuurlijk,' antwoordt Trix gretig en ze rolt dichterbij om niets te missen.

'Eens kijken. Hoeveel druppels? Hoe oud wordt een konijn eigenlijk? Vijf jaar? Of tien? Ik heb geen flauw idee.'

Lot pakt het oude konijn stevig vast en spert zijn bek open. Het dier reageert nauwelijks.

'Probeer eens vier druppels,' stelt Trix voor.

Lot houdt aarzelend het pipetje omhoog.

'Nee... Dat is volgens mij te veel. De dosering geldt voor mensen. Dat konijn weegt veel minder dan een mens. Ik begin met één druppeltje.'

Voorzichtig laat Lot een lichtblauwe druppel in het opengesperde konijnenbekje vallen...

Gelukt!

Met open mond en rode wangen van spanning kijken Lot en Trix toe. Even lijkt er niets te gebeuren.

Dan gaat er opeens een rilling door het konijn. Zijn ogen gaan wijdopen en er straalt een paar seconden lang een helder lichtblauw licht uit. Het dier maakt een enorme luchtsprong. Lot kan hem nog net grijpen voordat hij van de tafel valt. Nu gebeurt er in korte tijd van alles met het konijn. Zijn oren springen fier overeind, de vacht kleurt in een paar minuten van grijs naar zwart. Zijn ogen beginnen weer te glanzen, hoewel nog steeds met een lichtblauwe gloed. Het beest wordt dikker en steviger en knabbelt vrolijk aan Lots mouw.

'Het lukt! Het lukt!' roept Trix, schor van opwinding.

Ze trekt Lot tegen zich aan. 'Lot, je bent geweldig! De toverdrank werkt!'

Lot kijkt stralend van trots naar het konijn. 'Goh, ik geloof het zelf bijna niet. Alle paddenkeutels, wat een heks ben ik al! Moet je zien hoe goed hij eruitziet!'

'Mag ik nu, mag ik nu? Geef me gauw een paar druppels!'

'Nee, even wachten nog, Trix. Ik wil ook eerst het verouderingsmiddel uitproberen.'

Lot zet het mooie zwarte konijn terug in de doos en pakt het kleintje eruit. Het beweegt zenuwachtig met zijn neusje en rilt. Lot zuigt wat van het roze drankje op. 'Niet te veel, niet te veel...' mompelt ze. Heel voorzichtig laat ze een druppeltje in de bek van het babykonijntje vallen. Weer gebeurt er even niets. Het diertje knijpt zijn oogjes stijf dicht. Als hij ze weer opendoet stralen ze fel lichtroze.

'Het werkt ook!' piept Trix opgewonden. 'Kijk, het groeit! Het wordt groter, Lot!'

Lot houdt het beestje omhoog. Het konijn wordt inderdaad zichtbaar steviger en groter. De ogen gaan nu wijdopen en de roze gloed erin neemt af. Het konijn spartelt in Lots handen.

'Ho, ho, kereltje! Je bent opeens een stuk sterker, hè?' zegt Lot lachend en ze zet hem terug in de doos. Beide konijnen besnuffelen elkaar geïnteresseerd.

Lot en Trix kijken elkaar opgewonden en zenuwachtig aan.

Lot zegt: 'En nu zijn wij aan de beurt.'

'Woepie!' roept Trix. Ze klopt met haar hand op de leuning van de rolstoel. 'Stoeltje, je bent verleden tijd! Trix gaat weer huppelen. Kijk maar uit, Lot, dat ik geen concurrentie voor je word! Misschien valt Hans straks wel op mij!' Trix moet zo hard lachen dat ze bijna geen adem meer krijgt.

Lot grijnst. 'Wil jij eerst, of zal ik?'

'Ik eerst, ik ben zo oud, aan mij valt toch niks te verprutsen,' antwoordt Trix. Ze gaat rechtop zitten, doet haar ogen dicht en haar mond open.

'Ik geef je niet te veel hoor, anders valt het op.'

Trix doet haar ogen weer open. 'Ik ben drieënnegentig. Laten we zeggen: twintig druppels. Drieënzeventig is ook oud, maar toen voelde ik me nog heel goed.'

'Oké, twintig druppels, mond open!'

Nauwkeurig tellend laat Lot twintig druppels in Trix' mond vallen. Trix sluit haar mond en slikt. Met haar ogen nog steeds dicht zegt ze verbaasd: 'Het is zoet. Gebeurt er al iets?'

Lot bekijkt Trix nauwkeurig. 'Ik zie nog niks, hoor.'

Plotseling gaat er een hevige rilling door Trix heen. Ze spert haar ogen wijdopen. Ze stralen, net als bij het konijn, met een onaards blauw licht.

'Ieeeks!' gilt Trix. 'Mijn hersens vliegen uit mijn dak! Wooow! Ik zie allemaal kleuren! Jippie! Ik zit in een draaimolen! Woeiii!'

Trix' rolstoel schudt hevig en ze houdt haar grijze hoofd met beide handen vast.

Lot kijkt vol verbazing en ook wel een beetje angstig toe. Als dit maar goed gaat...

'Aiaiai, het kriebelt in mijn hersens. Wat gebeurt er?' roept Trix. Haar stem klinkt plots een stuk jonger. Het lijkt net of ze groeit, of beter gezegd: rechttrekt. Haar gezicht, dat eerst van perkament leek, wordt langzaam iets gladder, net als de huid van haar hals en haar handen. Haar dunne, paarsige krulletjes worden voller en steviger en donkerder van kleur. Trix hoest en sputtert opeens hevig en drukt haar handen voor haar mond. De angstzenuwen vliegen door Lots buik. Als er iets misgaat, is het haar schuld! Trix spuugt iets uit.

Lot durft niet te kijken.

'Mijn kunstgebit, het is mijn kunstgebit! Ik heb mijn eigen tanden weer!' jubelt Trix.

'Sssjjjt!' doet Lot. 'Niet zo hard. Dadelijk hoort Ursula ons!'

Trix haalt diep adem. 'Aaah, het rare gevoel houdt op. Zoiets heb ik nog nooit meegemaakt, zeg! Het voelde eigenlijk heel lekker!' Ze strekt voorzichtig haar benen.

'Ik voel me zoveel beter, Lot! Alle stijfheid en stramheid zijn weg. Je kan het je niet voorstellen hoe heerlijk dat is! Zou ik kunnen staan?'

Lot geeft haar een arm en helpt haar uit de rolstoel.

Heel voorzichtig brengt Trix haar gewicht over op haar benen.

'Het lukt! Het kan! Ik sta! Ik kan weer lopen!' gilt ze uitgelaten. Ze doet een paar stappen, en nog een paar en holt dan recht met haar gezicht in het spinrag.

'Joechei! Johooo! Hoe zie ik eruit, Lot?'

Lot kijkt breed grijnzend toe. 'Fantastisch, Trix. Het is ongelofelijk. Maar je moet je straks wel een beetje inhouden voor Ursula, hoor! Anders krijgen we gedonder!'

Lot pakt het lichtroze potje. 'En nu ben ik aan de beurt!'

Max Plaktor

'Als u geen afspraak heeft, komt u er niet in!' zegt de hoogblonde receptioniste met een smal toegeknepen, felrood mondje.
'Meneer Plaktor zit in vergadering en heeft geen tijd.' Afkeurend neemt ze Karel op. 'Stelt u zich eens voor dat iedereen zomaar bij hem zou binnenlopen!'
'Maar ik moet hem zien! Het is ontzettend belangrijk! De toekomst van het bedrijf hangt ervan af!'
De receptioniste trekt haar dunne wenkbrauwen op en buigt zich over een grote agenda. 'Over twee maanden heeft meneer Plaktor wel een gaatje.'
'Twee maanden? Een gaatje? Dat kan niet, dat is onmogelijk!' roept Karel wanhopig. 'Ik moet hem nú meteen spreken!'
Het meisje haalt haar neus op en deinst een stukje achteruit. 'Kunt u mij dan misschien zeggen waar het over gaat?'
'Dat kan ik niet, het is geheim! Ik moet meneer Plaktor zien, zo snel mogelijk!'
'Sorry, meneer, het kan echt niet. Komt u over een half jaartje nog eens terug.' De receptioniste drukt een dun, kanten zakdoekje tegen haar neus en draait zich demonstratief om.
Karel beent de grote marmeren hal door en laat zich op een rood-fluwelen bank neerploffen. Hij slaat zijn armen over elkaar en zegt vastberaden: 'Ik ga niet weg voordat ik meneer Plaktor gesproken heb!'

De receptioniste werpt verstolen blikken op Karel. Hij zit met zijn voeten op een glazen tafeltje in een modetijdschrift te bladeren. Ze kijkt op haar horloge. Die rare kwibus zit er nu al een half uur en ze houdt het bijna niet meer van de stank... Ze spuit zichzelf nog wat parfum op de polsen en pakt dan de telefoon op.

'Meneer Plaktor, ja dit is Elsje. Er zit hier een meneer... ja... Hij wil niet weggaan, zegt dat het heel belangrijk is. En geheim. Goed... nee... ja. Ik zal het hem zeggen.'

Elsje staat op en strijkt haar strakke rokje glad.

'Meneer... meneer?'

'Karel is de naam,' zegt Karel en hij springt overeind.

'Meneer Plaktor zal u over een uur ontvangen. U krijgt dan drie minuten en dan moet u weer buiten zijn. Meneer Plaktor heeft het namelijk razend druk!'

Karel zucht opgelucht en begint zenuwachtig heen en weer te lopen. O, wat geweldig, wat heerlijk. Over een uurtje of anderhalf ben ik een rijk man. Dan heeft Kareltje het gemaakt! Dan is Kareltje binnen!

Hij kijkt om zich heen. Van de zenuwen moet hij plotseling ontzettend naar de wc. Snel loopt hij naar de balie toe.

'Het toilet, alstublieft?'

Elsje knijpt haar neus dicht en wijst. 'Trap af, naar beneden, rechts!'

Karel loopt haastig de brede marmeren trap af. 'Nog een uurtje, een uurtje...' mompelt hij.

'Een uurtje, en dan wat?' klinkt opeens een krakerige, schelle stem. Karel schrikt ervan. Naast hem zit op een krukje aan een tafeltje een oude, kromgebogen toiletjuffrouw. Ze houdt haar klauwachtige hand omhoog. 'Dat is dan een kwartje, jongeman!'

Karel grijnst opgelucht en grijpt naar zijn portemonnee.

'Een kwartje! Hier heb je een tientje, schoonheid! Over een uurtje is Karel toch rijk!'

'Meneer Karel, u kunt binnengaan. En vergeet u niet: drie minuten!' Elsje wijst achter zich naar een grote dubbele, matglazen deur. Links

59

staat een grote gouden letter M en op de rechter deur een P.

Karel haalt zenuwachtig zijn vingers door zijn vette kuif, voelt in zijn broekzak, haalt diep adem en duwt de deuren open.

Karels mond zakt open als hij om zich heen kijkt. De kamer is hoog en rond. De muren zijn roze met goud en behangen met grote foto's van prachtig opgemaakte jonge vrouwen. Op de grond ligt een rond, hoogpolig tapijt en midden op dat tapijt staat een gigantisch donkerbruin glanzend bureau, met daarop wel zeven telefoons en een enorme uitstalling potjes en flesjes.

Erachter zit een dikkige man van middelbare leeftijd. Hij heeft een zonnebank-bruine kleur en draagt een gouden brilletje. Zijn weelderige haardos is in golven achterover gekamd. Aan zijn vingers schitteren talloze zware, gouden ringen met diamanten.

De man bekijkt Karel afkeurend van onder tot boven en trommelt met zijn gemanicuurde nagels ongeduldig op tafel. 'Meneer, u had mij iets extreem belangrijks te melden. Komt u alstublieft gauw ter zake, want ik verwacht ieder moment een zeer belangrijk telefoontje uit Hong Kong!'

Een hele verandering

Trix en Lot knipperen met hun ogen tegen het felle licht als ze de schuur uitlopen. Ze kijken elkaar aan.

'Goh, Trix, wat zie je er goed uit, zeg! Ik dacht dat je veel kleiner was! Ik heb je nog nooit zien staan!'

'En jij ziet er ook geweldig uit, Lot. Je bent al een hele dame, hoor! Helemaal geen spichtig schoolmeisje meer.'

Lot bloost. Dan buigt ze zich naar Trix toe.

'Zet die bril eens af. O nee, je ogen!'

'Wat, mijn ogen?'

'Ze hebben een rare, lichtblauwe gloed, net zoals bij de konijnen!' antwoordt Lot ontzet. 'En de mijne?' Ze spert haar ogen open.

'Tja, wat zal ik zeggen? Als je heel goed kijkt zie je dat ze roze-achtig stralen. Een heel klein beetje maar, hoor. Ik vind het wel lief staan!'

Lot laat zich op de tuinbank vallen. 'O jee, Trix. Wat hebben we gedaan? Ursula ziet dit vast! En alsof het niet opvalt dat jij loopt en er veel jonger uitziet. En dat ik opeens borsten heb en langer geworden ben! O, Trix, als ze het doorkrijgt! Dan word ik eruitgegooid. Dan mag ik geen heks worden! Dat zou ik vreselijk vinden! Ik heb er zo'n spijt van! Allemaal voor die stomme Hans!' De tranen lopen over Lots wangen.

Trix gaat naast haar zitten en slaat een arm om haar heen.

'Kom, kom, meisje. We hebben dit één keer gedaan en we doen het niet weer. En Ursula merkt het heus niet. We moeten gewoon een beetje slim zijn. Een beetje toneelspelen. Binnen de kortste keren is Ursula eraan gewend en weet ze niet beter. Ik heb absoluut geen spijt. Ik voel me zo heerlijk! Verlost van pijn, roest en rimpels! Kom mee naar binnen en vertrouw op Trix!'

'Een zonnebril?' vraagt Lot even later verbaasd.

'Ja, alleen in de buurt van Ursula, de eerste dagen. Volgens mij verdwijnt die roze kleur wel als het spul uit je lichaam is. En je doet gewoon de komende tijd wijde kleren aan.'

Lot trekt het vestje dat ze van Trix geleend heeft dicht.

'En nu moet je de test doen.' Trix geeft Lot een dienblad met een kopje thee en een paar beschuitjes in haar handen. 'Breng dit maar naar Ursula. Je zal zien dat het prima gaat!'

'Nee, dat durf ik niet, echt niet, Trix!' piept Lot benauwd.

Trix duwt Lot vastberaden in de richting van de trap. 'Dat durf je wel. Je zal wel moeten. Kom op, meid! Wie a zegt moet ook b zeggen!'

'Ursula... Ursula slaap je?' fluistert Lot hoopvol.

Ursula's slaapkamer is halfdonker. Ursula zelf ligt met haar ogen dicht en haar handen op haar buik bewegingloos in bed. Miranda ligt op haar voeten. Dan doet de heks een oog open.

'O Lot, wat lief van je dat je iets komt brengen. Ik dacht al dat jullie me helemaal vergeten waren!'

Moeizaam hijst ze zich overeind.

Lot zet het dienblad op het nachtkastje.

'Ik voel me al een stuk beter, hoor. Je kan maar beter een kater hebben dan een vliegenplakvergiftiging...'

Dankbaar neemt Ursula het kopje thee aan. Lot sluipt in de richting van de deur.

'Kom toch even gezellig bij me zitten, kind!'

Lot gaat gehoorzaam op een stoel zitten, zo ver mogelijk van het bed. Haar buik doet pijn van de zenuwen.

'Waarom heb je een zonnebril op?' vraagt Ursula verbaasd. 'En wat een grappig model.'

'Uuuh, ik uh... ik ik... Hij... hij is van Trix. Ik heb wat hoofdpijn, Ursula,' stottert Lot. 'Ik ik... ik kan niet goed tegen het licht.' Ze trekt haar vestje dichter om zich heen en duikt in elkaar.

'Heb je het koud?' vraagt Ursula bezorgd. 'Voel je je wel lekker?'

'Ja, hoor,' antwoordt Lot nerveus en ze schraapt haar keel. 'Ik man-keer niks!'

'Gelukkig maar,' zucht Ursula en ze laat zich weer in het kussen zakken. 'Bedankt voor het kopje thee, schat. Ik ga nog een dutje doen en dan sta ik straks op, goed?'

'Tuurlijk, slaap lekker, hoor!' zegt Lot opgelucht. Ze trekt het gordijn wat verder dicht en huppelt naar beneden.

'Ze heeft niets gemerkt! Ze zag het niet!' roept Lot en ze maakt een paar danspasjes. 'O, wat ben ik blij. En straks jij nog Trix. Zou je niet voorlopig in je rolstoel gaan zitten en er dan langzamerhand pas uit-komen?'

Trix schenkt voor Lot een glas borrelend grijs spul in en voor zich-zelf een glaasje port. 'Misschien is dat wel een goed idee. Hier meid, een lekker glas dauwschimmelsap. Dat lust je graag, hè? Om het te vieren! Proost Lot! Op de eeuwige jeugd!'

Lot drinkt het glas in een grote slok leeg. Dan schopt ze haar schoe-nen uit. 'Hè, ze knellen. En mijn jurk knelt ook onder mijn armen.'

Lot kijkt naar Trix die vergenoegd aan haar glaasje nipt. 'Misschien moet je ook maar even een sjaaltje om je hoofd doen, Trix. Het is toch wel een flinke krullenbos die je hebt gekregen!'

Trix lacht. Lot ziet opeens dat ze kuiltjes in haar wangen heeft. 'Mooi, hè? Ik had vroeger een enorme bos roodbruine krullen. Daar was ik altijd heel trots op.'

Ze schenkt nog een glas port in en loopt naar de spiegel. 'Het is wer-kelijk ongelofelijk.' Trix zet haar bril af en bekijkt zichzelf van dicht-bij. 'Het is raar, mezelf weer zo te zien. Alsof ik naar iemand anders kijk.' Ze draait zich om naar Lot.

'Gek, hè? Je vergeet hoe je er vroeger uitzag in de spiegel. Je hebt alleen nog maar foto's, en dat is toch anders... Hé! Ik zie je zonder bril ook, Lot! Ik geloof dat ik hem niet meer nodig heb!'

Ze pakt een boek uit de kast en houdt het eerst vlak voor haar ogen en dan op armlengte. 'Ik zie prima! Joepie! Wat heerlijk!'

Lot kijkt Trix verbaasd aan.

'Maar net had je toch wel nog je bril nodig... Hoe kan dat nou?'

Trix trekt haar wenkbrauwen op. 'Toen had ik het nog niet in de gaten, zeker!'

Lot springt op en loopt naar de keuken. 'Ik heb opeens ongelofelijke honger.'

Even later komt ze terug met vier boterhammen op elkaar geplakt. Er steken groene staartjes tussenuit. Ze bewegen nog een beetje. 'Lekker, hoor...' zegt ze met volle mond.

Trix kijkt Lot onderzoekend aan. 'Ga eens goed rechtop staan.'

Lot recht haar rug en neemt nog een flinke hap.

'Wat zit dat vestje strak, zeg. Het lijkt wel of je nog steeds doorgroeit. En je jurk hing daarnet op je knieën en nu halverwege je dijen... En je gezicht verandert ook.'

'Ach, kom, dat kan toch helemaal niet,' zegt Lot en ze stopt lachend het laatste staartje in haar mond.

De toiletjuffrouw

'Meneer, verdoet u alstublieft mijn kostbare tijd niet met deze klets-praat. Verjongingsmiddel, dat bestaat helemaal niet.' Meneer Plaktor lacht schamper en kijkt op zijn horloge. 'De drie minuten zijn om. Het spijt me, maar u moet nu echt gaan.'
Karel graait in zijn broekzak en steekt het flesje omhoog. De licht-blauwe vloeistof flonkert en straalt in het licht van de kroonluchter. 'Maar ik kan het bewijzen!' roept hij uit. 'Het is echt waar! Dit is ver-jongingsmiddel! Gelooft u mij nou, alstublieft!'
Meneer Plaktor drukt op de knop van de intercom en buigt zich er-overheen. 'Elsje, onnozel wicht! Hoe haal je het in je hoofd om deze halve zool naar binnen te sturen! Haal hem hier weg.'
'Nee, nee!' roept Karel smekend. 'Geef me een kans, meneer Plak-tor! Geef me nog een paar minuten, dan bewijs ik het u. Het zal u niet berouwen! Het is de vondst van de eeuw, meneer Plaktor! Uw bedrijf wordt het allerrijkste, allerberoemdste van de hele wereld! Ik bewijs het u! Eén seconde, ik ben zo terug!'
Karel stormt de kamer uit. Elsje, die net binnenkomt, wordt ruw opzij geduwd.
Meneer Plaktor kijkt haar met een dieprood gezicht van woede aan. 'Zag je niet dat die kerel ze niet allemaal op een rijtje heeft, Els! Dit kan gewoon niet! En die lucht... Ik ben er helemaal misselijk van!'
Meneer Plaktor waaiert bleekjes met een reclamefolder voor zijn gezicht en spuit wat parfum in het rond.
'Waar is-ie nou heen?' vraagt Els met een benauwd stemmetje.
'O hemeltje, daar heb je hem weer!'
Karel rent de kamer binnen. Hij trekt een tegensputterende toilet-juffrouw achter zich aan en drukt haar neer op een grote, roze bank.

Het ouwe mensje kijkt hijgend en dodelijk verschrikt om zich heen en kan geen woord uitbrengen. Elsje deinst achteruit. Meneer Plaktor verbleekt. Zijn hand gaat in de richting van een grote, rode knop onder zijn bureau.

'Geen beweging of ik schiet!' roept Karel. Hij is door het dolle heen en steekt het flesje in de lucht. Met zijn vetkuif helemaal uit model en het zweet parelend op zijn voorhoofd ziet hij er gevaarlijk en verwilderd uit.

Iedereen kijkt verbaasd naar het flesje.

'M-maar dat is toch geen pi-pistool?' stottert Elsje.

Karel wordt rood. 'Uuh... ik bedoel... Maar ik heb er wel een. Thuis... uh, in mijn zak. Een heel kleintje. Jullie moeten nu kijken! Let op!'

Hij pakt een halfvol glas water dat op het bureau staat, schroeft het flesje open en gooit er een scheut van de vloeistof in. Hij duwt het onder de neus van de toiletjuffrouw die verstijfd van schrik op de bank zit.

'DRINK!' beveelt Karel.

De toiletjuffrouw schudt angstig van nee.

Karels hand gaat dreigend in de richting van zijn binnenzak.

'Juffrouw Betje, doe het nou maar!' roept Elsje angstig. 'Hij heeft een pi-pistool in zijn zak!'

Juffrouw Betje pakt met trillende handen het glas aan, knijpt haar ogen dicht en neemt een slok.

Meneer Plaktor, Els en Karel houden alle drie hun adem in.

Er gaat een rilling door het magere lijf van het oude vrouwtje in haar witte schort. Haar onderlip bibbert. Ze hoest.

Meneer Plaktors hand glijdt weer naar de rode knop.

Karel slikt. 'Vooruit... vooruit...' sist hij.

Dan spert juffrouw Betje haar ogen opeens wijdopen. Ze stralen helderblauw, alsof er lichtjes achter zitten.

'Oeps!' roept ze. Ze laat een luide boer en slaat haar hand voor haar mond. 'Oeps! Pardon! Ik voel me opeens zo raar... Ooo, wat gebeurt er? Mijn hoofd... ik zweef, ik draai!'

Voor de verbijsterde ogen van het drietal begint het oude, kromme mensje opeens te veranderen. De ontelbare rimpels in haar gezicht trekken langzaam weg, haar smalle ingevallen mondje wordt voller en roder, haar ogen worden groter en helderder. Haar grijze permanent verandert op wonderbaarlijke wijze in een bos prachtige lange blonde lokken. Ze houdt haar armen voor zich uitgestrekt. 'Kijk, mijn handen, mijn handen!' roept ze verbijsterd. De door reumatiek kromgetrokken klauwtjes trekken recht en de vingers worden glad en stevig.

Na vijf minuten zit er zowaar een beeldschone jonge vrouw op de roze bank.

Meneer Plaktors ogen puilen bijna uit zijn hoofd. Els geeft een zwak kreetje en valt flauw in Karels armen.

Karel is zelf ook sprakeloos van verbazing. Betje springt overeind en rent naar een grote spiegel toe. Haar witte toiletjuffrouwenjas staat gespannen over een weelderige boezem.

Plong! Er springt een knoopje af.

'Het... het is niet te geloven!' roept ze. Haar stem is zwoel en hees. 'Dat ben ik! Zoals toen ik... vijfentwintig was!' En dan zakt ook Betje in elkaar, op het zachte hoogpolige tapijt van meneer Plaktor.

Meneer Plaktor klapt zijn mond dicht en wrijft in zijn ogen, alsof hij net wakker wordt. Dan recht hij zijn rug, stapt over juffrouw Betje heen en beent met uitgestrekte hand op Karel af. 'Meneer Karel... Mag ik Karel zeggen? Beste kerel, vergeef me... Ik heb me vergist. Je... je bent een tovenaar... Je bent geweldig! We hebben de ontdekking van de eeuw gedaan. Een goudmijn! We moeten absoluut zaken doen!'

Karel gaat het maken

'O Betje, Betje wat ben je mooi! Het lijkt wel of je iedere minuut jonger wordt!' grapt Karel. Vol bewondering pakt hij haar hand vast. Ze zitten op de achterbank van de grote zwarte bedrijfslimousine van meneer Plaktor en rijden in de richting van het bos. Betje is gehuld in een prachtige witte bontjas van hermelijn en een rode sexy avondjurk. Karel is in smoking en heeft een dikke sigaar in zijn mond.

Betje kijkt Karel met stralend verliefde ogen aan en buigt zich naar hem toe. 'O, Karel, zo heerlijk heb ik nog nooit gewinkeld in mijn leven. Wat heb je me verwend!'

Karel klopt met een tevreden gezicht op zijn binnenzak.

'Ja, schatje-popje. Goed, hè? En er komt nog meer, hoor. Als ik Plaktor het recept overhandig, stromen de miljoenen pas echt binnen. Dit was nog maar een voorschotje!'

Betje friemelt aan het zwarte strikje om Karels hals.

'O, Karel, mijn held. Je hebt mij gered! Gered van de ouderdom en de reumatiek. Je hebt me weggesleept uit de klauwen van de dood! Je hebt me gered van de Plaktor-plee! O, liefste! Ik ben je eeuwig dankbaar! Trouw met me!' Betje zoent Karel hartstochtelijk op zijn mond.

Karel blaast van schrik een grote, blauwe rookwolk midden in haar gezicht. 'Trouwen? Zo snel al? Moeten we niet eerst een keertje samen... uitgaan of zo?'

Betje lacht en wappert de rook weg. 'Waarom? We zijn voor elkaar gemaakt, Kareltjelief! Jij bent de prins die mij gered heeft. En dan moet je ook met mij trouwen, hoor. En bovendien... Waar zou ik heen moeten? Bijna al mijn familieleden en vrienden zijn dood. Ik ben zo'n beetje de enige die nog over is! Ik heb nog een dochter in Australië en die is al vierenvijftig! Ze ziet me aankomen, ze krijgt spontaan een hartaanval als ze me zo ziet!'

Karel kucht en trekt zenuwachtig aan zijn sigaar. Dit gaat wel erg snel!

'Vind... vind je dan niet dat ik vies ruik?' vraagt hij verlegen.

Betje snuift in zijn hals. 'Vies? Hoe kom je erbij? Lekker juist! Ik ben wel wat gewend als wc-juffrouw, hoor!' Ze geeft hem een knipoog.

Karel zucht opgelucht. 'Gelukkig, Betje! Ja, dan zijn we echt voor elkaar gemaakt!'

Karel laat zijn ogen genietend over haar heen gaan. Wat een knap stuk! Wat een lekkere meid! Zijn blik blijft hangen op het diep uitgesneden decolleté van haar jurkje. Wat vreemd, denkt hij dan. Het leek alsof er net veel meer in zat. Ach, dat zal ik me wel verbeeld hebben!

Hij kijkt naar buiten. 'We zijn er bijna, duifje. Ik ga even het recept ophalen bij een stel vage kennissen die hier in het bos wonen. Het zijn een beetje vreemde mensen, dus jij kan beter in de auto blijven zitten, schat.' Hij legt zijn hand op haar dij. 'En dan, mijn snoepje... Kassa! Betje en Karel gaan samen een mooie cruise maken. Wat! Nee, we kopen ons eigen jacht! Met gouden kranen en een rond hemelbed!'

'O, Karel, wat romantisch!' roept Betje en ze vliegt Karel opgewonden om de hals.

Ze waren toch echt groter net, denkt Karel. Wat gek! 'Chauffeur, hier naar links, en dan dat kleine zandpaadje daar naar rechts afrijden en dan zijn we er.'

Karel gaat rechtop zitten. Het rolletje waar de foto's van het recept op staan, ligt onder zijn kussen. Hopelijk kom ik niemand tegen, denkt hij nerveus. Ik ren naar boven, pak het rolletje en wegwezen! 'Blijf in de auto zitten, honneponnetje. Ik ben zo terug!'

Als Karel het portier opendoet, hoort hij een oorverdovend gegil.

Het komt uit de schuur.

Hij springt uit de auto, rent ernaartoe en rukt de gammele deur open. 'Wat is hier... Wie zijn jullie?'

Voor hem staan twee vrouwen van een jaar of dertig, die hij nog nooit gezien heeft. Ze gillen en wijzen naar een doos en zijn duidelijk helemaal in paniek.

Karel herinnert zich opeens dat hij een held is. Hij blaast een wolk rook omhoog en steekt zijn borst vooruit. 'Dames, dames, kalmeer eens even,' zegt hij gewichtig. 'Wat is er aan het handje? Hoe komt u hier zo verzeild en waarom gilt u...' Voor hij het weet, heeft Karel een draai om zijn oren te pakken.

Een van de vrouwen snerpt: 'Karel, idioot! Stel je niet zo aan! Wat heb je een raar apenpak aan! Zie je niet wie ik ben?'

Karel wrijft over zijn oor en kijkt haar stomverbaasd aan. De vrouw die hem een mep verkocht heeft, is heel knap. Ze heeft grote groene ogen en een bos mooie, roodbruine krullen.

'Nee... ik ken u niet... echt niet!'

'Ik ben je moeder, sufferd. Ik ben het, Trix!'

Karels sigaar valt uit zijn mond.

'W-wat... ma-mamoie?'

Dan draait hij zich om naar de andere vrouw, die nog steeds hijgend van schrik en met haar handen tegen haar mond geklemd in de doos staat te staren. Ze heeft lang, steil blond haar en ziet er ook heel leuk uit.

'En... dat...'

'Ja, slimmerd, dat is Lot!'

Karels ogen gaan wijdopen van verbazing. Dan buigt hij zich over de doos heen en geeft een kreet van afgrijzen.

Alles gaat mis

'Wat gebeurt er? Karel, Karel waar ben je?' In de deuropening ver-schijnt een blond meisje van een jaar of zestien. Ze zwikt op haar hoge hakken en draagt een bontmantel en een rood avondjurkje die eigenlijk wat te groot voor haar zijn.

Ze rent naar de doos waar het drietal overheen gebogen staat en kijkt erin.

'Getverderrie! Wat is dat?' Ze rammelt Karel aan zijn schouder.

'Karel, vertel op! Wie zijn die vrouwen? Ben je soms al getrouwd? En wat is dat vieze ding daar?'

Lot haalt diep adem. Ze heeft lijntjes om haar mond en een paar kraaienpootjes bij haar ogen. 'Dat daar... is een dood oud konijn en dat...' Ze wijst naar een roze, glibberig en bewegingloos dingetje. 'Dat is een dood jong konijn.'

'Moeten jullie daar nou zo om gillen?' vraagt het meisje. Ze hijst een afzakkend schouderbandje op en schopt haar te ruime hooggehakte schoenen uit.

'Ja, daar moeten wij om gillen!' zegt Trix bars en ze rent de schuur uit.

'Ursula, Ursula, word onmiddellijk wakker!'

Trix schudt de heks onzacht door elkaar. Miranda vliegt van het bed en springt sissend in de gordijnen.

Ursula komt overeind en wrijft zich slaperig in de ogen. Dan schrikt ze. 'Wie bent u? Wat moet u hier!'

'Ik ben het, kijk eens goed, Ursula! Ik ben het, Trix!'

Ursula kijkt Trix stomverbaasd aan. Dan ziet ze de lichtblauwe gloed in haar ogen. Ze gooit het dekbed van zich af. 'Trix! Nou zie ik het!

73

Wat heb je in heksensnaam gedaan?'

Lot verschijnt hijgend in de deuropening.

Ursula geeft een gil. 'O nee! Jij ook al! O, alle kakerlakken-nog-an-toe! Wat hebben jullie uitgespookt?'

'Ursula, word nu alsjeblieft niet kwaad!' roept Lot met betraande ogen. 'Je moet ons helpen, het is verkeerd gegaan! Het houdt niet meer op!'

'En wie is dat?' vraagt Ursula als ze aangekleed, maar met haar haren nog helemaal in de war, beneden komt.

Karel zit op de bank. Naast hem zit een huilend meisje van een jaar of elf. 'Ik ben bang, ik ben bang!' snikt ze. 'Ik wil niet worden zoals dat konijntje!'

'Dat is Betje,' zegt Trix. 'De verloofde van Karel.'

'Ik geloof dat ik in een gekkenhuis beland ben,' kreunt Ursula. Ze laat zich op een stoel zakken. 'Ga nou eens rustig zitten en vertel me wat er gebeurd is,' zegt ze tegen Trix en Lot, die wanhopig en handenwringend in de kamer rondlopen.

Trix, die er inmiddels uitziet alsof ze een jaar of achttien is, gaat naast Ursula aan tafel zitten. 'We hebben een verjongingsmiddel gemaakt, toen jij ziek in bed lag...'

'Ja, dat zie ik ook wel,' zegt Ursula boos. 'En een verouderingsmiddel, zo te zien! Lot, ga zitten want ik word ibbel van dat heen en weer geloop!'

Lot gaat ook zitten. Haar haar is inmiddels helemaal grijs. Ze pakt een lok beet en kijkt er met afgrijzen naar. Dan kijkt ze naar haar handen en voelt aan haar gezicht.

'Ursula, je moet wat doen! Kijk mij nou eens! Ik word iedere minuut ouder en de konijnen... En kijk Betje eens! Ze is nu zo oud als ik eerst was!'

Ursula klopt op haar arm. 'Rustig nou, Lot. Vertel me eens: heb je wel fixeer gebruikt?'

'Fixeer?' vraagt Lot verbaasd en ze veegt de tranen uit haar ogen.

'Ja, fixeer. Om het proces te stoppen. Je neemt eerst een aantal drup-pels van de toverdrank in, tot je de juiste leeftijd bereikt hebt. Daarna bespuit je jezelf met fixeer. Haarlak werkt ook. En dan blijf je zo oud als je op dat moment bent.'

'Dat wist ik niet...' roept Lot in tranen. 'Dat stond er helemaal niet bij!'

'Nee, dat stond er niet bij,' zegt Ursula. 'Maar iedere heks weet het. Zo zit het toverboek vol met verrassingen. Waarom denk je dat je eerst minstens tien jaar heksenleerling moet zijn?'

Trix veert overeind. 'Kunnen we ons nu dan niet gauw met haarlak bespuiten?' vraagt ze hoopvol.

'Te laat, te laat. Het moet meteen.' Ursula springt overeind.

'Ben je niet ontzettend kwaad?' vraagt Lot met een klein stemmetje.

'Ik heb nu geen tijd om kwaad te zijn. Als we dit opgelost hebben word ik nog wel razend, let maar op. Als... we het tenminste op tijd kunnen oplossen... Hoe kom je eigenlijk aan de andere helft van het recept?'

Lot verbergt haar gezicht achter haar rimpelige handen.

'Van Silitsia gestolen. O, Ursula, ik schaam me zo, ik heb er zo'n spijt van!'

Uit de andere hoek van de kamer klinkt een kattenschreeuw.

Ursula stormt op Betje af, die nog maar een jaar of zes is, en trekt haar aan haar arm achteruit.

'Wil je wel eens van de staart van mijn kat afblijven, wicht!' roept ze boos 'Karel, hou je verloofde bij je!'

Nu is het Ursula die zenuwachtig door de kamer rondbeent.

'Alle heksenpiegels! Het gaat wel snel,' mompelt ze. 'Verdraaid sterk drankje!' Dan rent ze naar de gangkast en trekt er de stofzuiger uit.

'Ik ga meteen naar Silitsia toe! Er is geen tijd te verliezen. Ik moet het tegenmiddel maken, zo snel mogelijk...'

'Silitsia is niet thuis,' zegt Lot met een grafstem. 'Ze is op vakantie.'

Groot alarm

'Wat?' roept Ursula uit.

'Op vakantie, en ik weet niet waarheen.'

'Dat meen je niet!' Ursula laat met een klap de stofzuiger uit haar handen vallen.

Betje, die niet meer snapt wat er aan de hand is, begint van schrik hard te huilen. Karel neemt haar onhandig op schoot en klopt haar op haar rug.

'Oh! Paddenpoten en rattenkeutels! Dan zijn jullie verloren!'

Lot komt moeizaam overeind, met haar handen haar rug steunend. Ze is een stuk kleiner en krommer geworden. Haar haar hangt grijs en piekerig om haar hoofd. Ze loopt met een klap tegen een schemerlamp op. 'Au! Ik zie niet meer goed! Trix, waar is die bril van jou?' Lot gaat moeizaam in de rolstoel van Trix zitten.

Trix huppelt weg om haar bril te zoeken.

'Er is nog één hoop... één hoop...' zegt Lot met een oude en vermoeide stem.

'Getverdemme,' roept Karel en hij steekt Betje de lucht in. 'Ze heeft in haar broek gepist.'

'Wat dan, wat dan? Zeg het, Lot!' roept Ursula.

'Ik... ik... ga eerst even een dutje doen... Ben zo moe,' mompelt Lot slaperig en haar hoofd zakt opzij.

'Oma, oma, hier is je bril!' roept Trix vrolijk. Ze probeert bij Lot op schoot te klimmen.

'O, ik word gek!' roept Ursula wanhopig uit. 'Het gaat te snel! Trixie, ga jij maar even met oom Karel en het baby'tje spelen!' Ze duwt Trix, die nu ongeveer zeven is en er schattig uitziet met haar sproeten en haar roodbruine krullenbol, in de richting van Karel. 'Karel, alsjeblieft. Neem je moeder en je verloofde mee naar buiten!'

Ze schudt Lot door elkaar. 'Lot, Lot, word wakker, word onmiddellijk wakker. Je mag nu niet slapen, er is geen tijd meer!'

Lot doet een rimpelig oog open. 'Inter-heksen-net...' mompelt ze, bijna onverstaanbaar.

Ursula klapt in haar handen.

'Natuurlijk! Dat ik daar zelf niet aan gedacht heb! O, als ik maar op tijd ben! Ik moet een S.O.S. versturen. Een opsporingsbericht. Maar hoe moet dat ook alweer! Ik ben helemaal niet handig met dat ding!'

Ursula zet de computer aan en begint als een razende te typen.

'Ik mag nu geen fouten maken... geen fouten. Code Groot Alarm. Alle computers gaan nu piepen... Heksen zetten hem aan.'

S.O.S. SILITSIA, MELD JE ONMIDDELLIJK! S.O.S.!

Ursula staart naar het beeldscherm. Er komt geen reactie.

S.O.S. SILITSIA, GROOT ALARM... MELD JE!!!

Ursula rent naar boven en komt terug met het toverboek.

Ze begint er paniekerig in te bladeren. 'Terugkeermiddel, Schoonmaakmiddel, Braakmiddel... O jee, o jee, ik kan helemaal niet meer nadenken... Hier, ongedaanmaakmiddel. Maar het is maar een halve spreuk! Ik heb er echt niks aan. O, Silitsia, Silitsia, kom met je dikke billen van die strandstoel af en geef antwoord...'

Plotseling klinkt er hartverscheurend gebrul van buiten.

Ursula rent ernaartoe. Karel zit midden op het grasveld. Op zijn schoot heeft hij een piepklein kaal baby'tje, gewikkeld in de rode avondjurk. Het huilt schril en ontroostbaar. Een stukje verderop, midden in een perkje, zit Trix; een mollige peuter van een jaar of twee. Kraaiend van het lachen rukt ze bloemen uit de grond.

Karel is helemaal in paniek. 'Mijn verloofde! En kijk mijn moeder daar nu eens! O, Ursula, doe nou toch gauw iets! Het gaat mis met Betje! Veel jonger kan ze toch niet worden!'

Ursula staat er bleek en verslagen bij.

'Ik kan niks doen Karel, ik krijg Silitsia niet te pakken... Ik kan geen tegenmiddel maken... Alleen jij en ik blijven over, Karel!'

'Ik en jij... geen sprake van...'

Karel springt overeind en duwt het krijsende wurm in Ursula's armen. Dan rent hij weg in de richting van de schuur.

Even later komt hij hijgend terug.

'Hier, hier Ursula... Kan het hier niet mee?' Hij duwt haar de twee flesjes in handen.

Ursula laat van verbazing de baby bijna vallen.

'Karel... hoe is het mogelijk? Er is nog toverdrank over... natuurlijk!'

Ursula legt de baby op de grond en schroeft het roze flesje open.

'Karel, vlug, pak je moeder!'

Als Karel Trix probeert te grijpen, rent ze gierend van pret weg.

'Kom hier, mamsie, sta stil!' roept Karel, terwijl hij struikelend achter haar aan rent.

Zodra hij haar beet heeft, roept ze: 'Lamelos, lamelos! Tixie boeme pukke!' en ze probeert hem in zijn arm te bijten.

Karel grinnikt. 'Wat een temperamentje! Nu weet ik van wie ik het heb!'

Hij zet haar naast Ursula op het gras. Trix geeft Ursula een schop tegen haar schenen en probeert er meteen weer vandoor te gaan.

Ursula pakt het tegenspartelende kind stevig vast. 'Karel! Ren naar de badkamer en haal de spuitbus met haarlak!'

Omkeertruc en haarlak

Een paar minuten later komt Karel hijgend aangerend met de spuit-bus.

Trixie kan intussen niet meer lopen en kruipt met dikke, mollige beentjes rond. In haar mond heeft ze een grote pluk gras.

Ursula zit op de bank en kijkt zorgelijk naar het kleine baby'tje dat nu opgehouden is met huilen.

'Is ze... is ze...' stamelt Karel.

'Nee, nog niet. Geef hier die bus, we moeten snel zijn.'

Ursula bekijkt de bus. 'O, Karel!' gilt ze. 'Kan je nou nooit eens iets goed doen? In deze spuitbus zit Heksen-okselzweet-verdelger! Schiet op, terug! Anders is het echt te laat!'

Karel smijt de bus in de struiken en gaat er als een speer vandoor. Even later is hij weer terug en vraagt: 'Is het deze dan?'

Ursula knikt. Ze stopt hem Betje in de handen. Karel durft bijna niet naar zijn verloofde te kijken. Ze is zo klein en roze en breekbaar.

'Hou haar mondje maar open,' zegt Ursula. Voorzichtig laat ze een voor een de druppels in haar mond vallen.

'Wat geef je haar veel, het is toch een druppel per jaar? Hoe oud ga je haar maken?'

'Dat van die druppel per jaar is niet waar. Dat is een beschermings-valstrik van het toverboek. Het fixeer stopt het proces. Hoe oud was Betje?'

Karel aarzelt. 'Stokoud. Bijna zo oud als Trix.'

'Dan moet ze weer even oud worden. Met de natuur mag niet gesold worden.'

'Maar Ursula!' protesteert Karel. 'Ze is mijn verloofde! Dan ben ik dus verloofd met een bejaarde!'

'Eigen schuld, dikke bult! Dan maak je het maar weer uit,' antwoordt Ursula onvermurwbaar. 'Geef me Trix, zij moet ook nu meteen de druppels hebben.'

Met een ongelukkig gezicht legt Karel Betje voorzichtig neer op de jurk. Dan pakt hij Trix op en zwiert haar de lucht in. Trix kraait van plezier. Ook al is Karel kwaad op Ursula, hij moet toch lachen. Hij kietelt haar op haar buikje.

'Wat ongelofelijk raar. Dit is mijn moeder! Zo'n schattig baby'tje. Niet te geloven! Ik ben vast de enige man op de wereld die zijn moeder als baby vasthoudt! Kiele-kiele-kiele. Trixie! Ik geloof dat ik baby's eigenlijk heel leuk vind!'

'Geef haar nou maar gauw hier, anders is ze dadelijk weg!'

Terwijl Ursula aan het druppelen is, vraagt Karel: 'En hoe oud maak je haar dan?'

'Wat denk je?' vraagt de heks.

'Ach toe, Ursula, mag ze een beetje jonger? Ze was al zo oud. Wie weet gaat ze al snel dood en dan heb ik geen moeder meer.'

'Tja, Karel, dat hoort er nou eenmaal bij. Als je tijd op is, is-ie op.'

'Bah! Wat ben jij vreselijk streng, zeg!' roept Karel woedend. 'Heb jij zelf geen moeder of zo? Hebben heksen soms geen hart?'

Ursula kijkt hem een paar seconden zwijgend aan.

Dan springt ze opeens overeind. 'Grote griebels, ik vergeet Lot! O, als ik maar niet te laat ben!' Ursula drukt Karel de spuitbus met haarlak in zijn handen, grijpt het lichtblauwe flesje en rent het huis binnen.

'Lot, Lot! Word wakker, word wakker!' Ursula rammelt wanhopig aan haar schouders. Lot zit scheefgezakt in de rolstoel van Trix. Ze is heel teer en doorzichtig geworden en haar haren zijn nu spierwit. Ze heeft een vredige uitdrukkig op haar verrimpelde gezicht.

'Lot!' gilt Ursula met tranen in haar ogen. 'Lot, antwoord alsjeblieft! Je bent toch niet... ben je... Je mag niet doodgaan, Lot! Versta je me?

Lot, het is je tijd nog niet!' Ze pakt het magere polsje vast en houdt
onhandig haar oor voor Lots mond om te horen of ze nog ademt.
'Haaa-tsjoe!' niest Lot. Dat komt van het gekriebel van Ursula's
haardos onder haar neus. Lot kijkt de heks met kleine waterige
oogjes aan. 'Wie... wie bent u? Waar ben ik?' vraagt ze met een dun,
krakerig stemmetje.
Ursula snikt van opluchting.
'Doe je mond maar open, Lot,' zegt ze vriendelijk. 'Alles komt goed.'

Bijna weer gewoon

'Wat heb je nou gedaan, Karel?' roept Ursula verbijsterd uit.

Karel geeft haar met een schuldig gezicht de spuitbus terug. Naast hem staan Betje en Trix, gehuld in een wolk van haarlak.

Betje klampt zich aan Karels hand vast en glimlacht onzeker naar Ursula. Ze is weer heel mooi en niet veel ouder dan vijfentwintig.

Trix staat met haar handen in haar zij. Ze heeft nog steeds haar mooie bruine krullen en ziet eruit of ze ongeveer vijftig is.

Als Ursula met een woedend gezicht op Karel afloopt, springt ze tussen hen in.

'Je moet ook boos zijn op mij, Ursula. Ik wilde niet ouder worden dan dit. Vergeef me, maar ik wil zo graag nog een tijdje doorleven. En niet zo oud en hulpeloos zijn. Ik wil het nog een hele tijd leuk hebben met jullie. Jij wil mij toch ook nog niet kwijt?'

Ursula's woede verdwijnt en opnieuw schieten haar ogen vol tranen.

'En ik wil een baby,' zegt Karel vastbesloten. 'Een baby van Betje! En als het een meisje is noemen we haar Ursula!'

Trix kijkt Karel stralend aan. Ook haar ogen staan vol tranen.

'O, Kareltje,' stamelt ze. 'Wat heerlijk! Kan ik eindelijk sokjes gaan breien!'

'Hè, wat is dat hier voor een sentimentele bedoening!' roept Lot opeens uit en ze springt uit de rolstoel. Ze wijst naar haar borstjes. 'Ursula! Spuit snel, anders zijn ze weg!'

Ursula bespuit Lot van top tot teen met haarlak.

'Uche, uche,' proest Lot. 'Bah, wat stinkt dat spul. O, Ursula het was zo vreselijk om zo snel oud te worden. En toen ik daar zo in mijn eentje in die stoel zat, probeerde ik jullie te roepen maar jullie hoorden me niet! Het was net een nachtmerrie! Dankjewel dat je me gered hebt!' Lot omhelst haar stevig.

'Ja, het was wel op het nippertje,' zucht Ursula. 'Alle krokodillenbillen-nog-an-toe, wat hebben jullie een stommiteit uitgehaald!'

'Ben je kwaad?' vraagt Lot voorzichtig.

'Ik ben woest, zie je dat niet!' antwoordt de heks en ze probeert kwaad te kijken. 'Ik ben ziedend, ik ontplof!'

Dan kan ze haar lachen niet meer inhouden. 'Nee, de waarheid is dat ik ontzettend blij ben dat het goed afgelopen is. Maar ik weet niet wat er verder met jullie zal gebeuren. Ik moet dit bij de Heksenkring melden. We zullen de S.O.S.-oproep moeten verklaren en Silitsia zal de pagina uit haar toverboek missen...'

Opeens slaakt Karel een kreet. 'O jee! Daar schiet me iets te binnen. Ursula... het is nog helemaal niet afgelopen! Meneer Plaktor! Ik ben meneer Plaktor vergeten! Hij heeft ook nog een flesje van het spul!'

'WAT?' roepen Lot, Trix en Ursula tegelijk uit. 'Wie is meneer Plaktor?'

Ursula stormt het kantoor binnen, op de voet gevolgd door Karel, Elsje, Betje, Lot en Trix.

Het kantoor is leeg. Op het bureau is het een enorme rommel. De make-up en flesjes nagellak en parfum die er keurig op uitgestald stonden, liggen overal in het rond. Op de keurige, roze muur staat met grote rode lippenstift-letters: MAX WAS HIER!

'Meneer Plaktor, meneer Plaktor! Waar bent u?' roept Elsje verontrust. 'Hemeltje, wat is hier gebeurd? Wat gek, het lijkt wel of er ingebroken is! Maar dat kan niet, er is niemand de kamer binnengegaan. Een half uurtje geleden heb ik meneer Plaktor nog een fles champagne gebracht. Een heel grote fles. Daar vroeg hij om. En kaviaar. En Franse kaasjes met toast. En chips. Kijk, daar staat het nog. Hij zat op u te wachten... hij wilde het gaan vieren...'

Ursula onderbreekt ongeduldig haar geratel. 'En hoe zag hij er uit?'

Elsje kijkt Ursula verwonderd aan. 'Hoezo? Gewoon, zoals altijd...
Keurig verzorgd.'
'Handen omhoog of ik schiet!' klinkt het plotseling van onder het
bureau.
Een klein jongetje in een veel te groot wit overhemd springt te voor-
schijn. Op zijn wangen staan rode lippenstift-strepen en in zijn
hand heeft hij een fles parfum die hij op Ursula richt.
'Handen omhoog, ouwe heks, of ik spuit je plat!' roept hij.

Even later staat meneer Plaktor weer op normale grootte voor de
spiegel. Hij boent de rode strepen van zijn wangen en staart verwonderd naar zichzelf. 'Dat was raar,' zegt hij. 'Het lijkt wel of ik
gedroomd heb. Dat ik jonger en jonger werd, en toen weer ouder. En

het borrelde tussen mijn oren, alsof er een bruistablet in mijn hersens gevallen was! Het was heel leuk om weer een klein jongetje te zijn.' Meneer Plaktor kijkt spijtig in de spiegel. 'Veel leuker dan die stijve, serieuze zakenman.'

Ursula klopt hem troostend op de rug.

'Als u goed naar binnen kijkt, meneer Praktor, is dat kleine jongetje er nog steeds, hoor. Diep binnenin u. Maar u heeft geluk gehad. Als we een beetje later waren gekomen was u dood geweest. Dat toverdrankje is levensgevaarlijk. Binnen een half uur was u een baby geworden en dan doodgegaan.'

'Was... het drankje... levensgevaarlijk? Hoe kan dat nou?' stamelt Max Plaktor. 'Met Betje is het toch goed gegaan?'

'Die mevrouw heeft mij gered, meneer Plaktor,' zegt Betje en ze wijst naar Ursula. 'Het was vreselijk! Ik was bijna het hoekje om, maar zij heeft me net op tijd verouderingsmiddel gegeven en Karel heeft me met haarlak gefixeerd.'

'Ik... ik begrijp er niks van...' stamelt meneer Plaktor. 'Maar één ding begrijp ik wel...' Hij stormt op Karel af en grijpt hem bij de kraag van zijn smoking. 'Jij... jij hebt geprobeerd mij levensgevaarlijk spul te verkopen. Jij... onbetrouwbaar misbaksel! Oplichter! Geef me onmiddellijk mijn geld terug!'

'Ikikik...' piept Karel benauwd. 'Ik, ik... lamelos, ik stik!'

Meneer Plaktor laat Karel los en houdt zijn hand op. 'Nou, geef op! En snel een beetje. Tienduizend gulden voorschot heb je gehad!'

Karel grabbelt in zijn binnenzak en haalt er een verkreukeld briefje van vijfentwintig uit.

'Dat... dat is alles wat er over is, meneer Plaktor.'

Bubbels en bellen

Meneer Plaktor stampt op de grond van woede. 'Je hebt me belazerd, kerel. Ik doe je een proces aan je broek! Ik sleep je voor de rechter!'
Lot, die voor de spiegel een lippenstift uitprobeert, draait zich om en zegt: 'Maar, meneer Plaktor! U heeft eigenlijk uw leven aan Karel te danken. Hij had net zo goed niet tegen ons kunnen zeggen dat u ook toverdrank had. Alleen Betje wist ervan. En hij wist ook wel dat u woedend op hem zou zijn. Dus eigenlijk is hij heel dapper geweest.'
Karel kijkt Lot dankbaar aan.
Meneer Plaktor kijkt van Karel naar Betje. 'En mijn tienduizend gulden dan? En het verjongingsmiddel?'
'Dat verjongingsmiddel kunt u op uw buik schrijven, meneer Praktor. Het is absoluut levensgevaarlijk. En bovendien, met de wetten van de natuur mag niet gerommeld worden,' zegt Ursula.
'Maar hij had het me beloofd...'
'Het is niet van Karel, het is van mij. Het spijt me, meneer Praktor, maar u krijgt het niet.'
Meneer Plaktor kijkt Ursula smekend aan. 'Maar mevrouw, kunnen we nu echt geen zaken doen? We zouden kunnen samenwerken, u en ik! We zouden een geweldig team vormen. U, met uw toverkracht en ik met mijn kennis en rijkdom! Ik zie het al voor me: MAX PLAKTOR – MAAKT U BETOVEREND MOOI!'
Ursula haalt haar schouders op. 'Nou, we zullen zien. Misschien voor de grap eens een lippenstiftje of zo. Een kleurtje dat geen man kan weerstaan, maar dan ook echt niet. Kunnen we nog lachen!'
Meneer Plaktor laat zich op de bank neerploffen. 'Ik had me er zo op verheugd... De ontdekking van de eeuw... Ik zou wereldberoemd geworden zijn... De Nobelprijs... Geld met bakken... Betoverende

schoonheid...' Hij veegt zijn bril schoon en staart naar Betje.

Opeens springt hij op. 'Betoverende schoonheid... Betje, kind, ik zie nu pas hoe mooi je bent! Ik heb een idee. Ik weet hoe jullie het goed kunnen maken!' Hij pakt Betjes kin in zijn handen en draait haar van links naar rechts. Dan doet hij een stap naar achteren en bekijkt haar van onder tot boven. 'Die prachtige ogen, met die geheimzinnige, lichtrode gloed! Dat figuurtje! Jij wordt mijn topmodel! Het nieuwe gezicht van Max Plaktor! Ik ga goud met jou verdienen!'

'Maar ze krijgt een baby, hoor!' roept Trix. 'Ik word oma binnenkort!'

'Niet nu meteen,' zegt Betje en ze kijkt blozend naar Karel.

'Niet verjongingsmiddelen, maar baby's, dat is de echte en enige eeuwige jeugd,' zegt Ursula lachend. Ze pakt de grote fles champagne die op tafel staat, schudt hem flink en laat hem met een knal openspringen. 'Het lijkt me dat iedereen nu tevreden is! Karel heeft een verloofde, meneer Praktor een nieuw topmodel, Trix is geen oude bejaarde meer en Lot gaat vanmiddag bij Hans langs, om het nog eens te proberen. Ik krijg problemen met de Heksenkring, maar ik ben mijn vrienden gelukkig niet kwijtgeraakt. Laten we de goede afloop vieren!'

Meneer Plaktor snelt naar een kast en pakt er voor iedereen glazen uit.

Ursula schenkt ze vol. 'Bubbels en bellen! Dit bruist ook tussen de oren. Proost allemaal!'

Lot neemt een grote slok en hikt. 'Mijn eerste glas champagne! Vandaag is de eerste dag van de rest van ons leven! Lang leve Ursula! Lang leve de computerheks!'

Karel, Betje, Trix, Els en meneer Plaktor steken ook hun glas in de lucht en roepen in koor: 'LANG LEVE DE COMPUTERHEKS!'

Inhoud

Pep-up poeder 5
Verliefd... 9
Alles mislukt 14
Te oud – te jong 18
Ursula is ziek 21
Half recept 25
Ursula ijlt 28
Op naar Silitsia 31
Uit de weg 35
Een driesterrenheks 39
Twee zatte heksen 43
Het gaat beginnen... 47
Proefkonijnen 51
Gelukt! 54
Max Plaktor 58
Een hele verandering 61
De toiletjuffrouw 65
Karel gaat het maken 69
Alles gaat mis 73
Groot alarm 76
Omkeertruc en haarlak 79
Bijna weer gewoon 82
Bubbels en bellen 86